D0229190

DE TOUR DE FRANCE
IN BEELD

Jean Nelissen
Matthijs Linnemann

DE TOUR DE FRANCE IN BEELD

De geschiedenis van 's werelds beroemdste wielerwedstrijd

Colofon

De Tour de France in beeld

Samenstelling, tekst en eindredactie: Jean Nelissen
Fotoselectie en bijschriften: Matthijs Linnemann

Naarden: Strengholt
ISBN 90 5860 069 6
NUGI 466
Trefwoord: Sport

Omslagontwerp: Mesika Design, Hilversum
DTP: Looney2, Hilversum
Foto's: Spaarnestad fotoarchief, Haarlem
ANP Foto, Rijswijk
Lionel Laget, Parijs
The Associated Press, Amsterdam
Cor Vos, Hoogvliet
Jean Nelissen, Eddy Museeuw

INHOUD

Het gevoel van verwondering

In 2003 bestaat de Tour de France honderd jaar. Als we terugkijken, overvalt altijd weer dat gevoel van verwondering. Omdat een aantal fietsers in de Tour de totale mechanisering en industrialisering van de maatschappij heeft overleefd.
Hoog boven onze hoofden vliegen de Apollo's door de ruimte, landt een sonde op Mars en hangen wereldwijd meer dan 13.000 vliegtuigen in de lucht. Beneden jaagt de TGV door het landschap en loopt rondom de steden het verkeer vast.
En toch wordt elk jaar voor pakweg 200 fietsers die de Tour de France rijden, tijdens het hectische vakantieseizoen, door 12.000 politiemensen een route van 4000 kilometer én de centra van grote steden als Parijs, Lyon en Bordeaux vrijgemaakt.
En komen vijftien tot twintig miljoen mensen samen om de bizarre karavaan voorbij te zien trekken. Mensen die zich kleumend op hoge bergtoppen omringd door de eeuwige sneeuw, of bakkend in de hitte van het zuiden, grote inspanningen getroosten om een glimp van de renners en het hen omringende circus op te vangen.
Het bijzondere aan de Tour is dat het balanceren op de rand van uitputting, het menselijk lijden, al bijna een eeuw lang massaal tot de verbeelding spreekt.
Behalve de miljoenen langs de route kijken nu ook honderd miljoen televisiekijkers naar de ronde.
Wie probeert een analyse te maken, het waarom te definiëren, komt onveranderlijk uit op een smeltkroes van sentimenten. De atleten die de grenzen van hun psychische en fysieke vermogens dicht naderen en soms zelfs overschrijden. En dit in een decor van kastelen en kathedralen in alle bouwstijlen, Gotisch, Romaans en postmodern. Het kruisen van Loire, Gironde en Seine. Het beklimmen van ijle hoogten Galibier, Izoard, Tourmalet en Alpe d'Huez.
Het opmerkelijke is dat in dit theater jonge mannen uit bescheiden milieus opstaan en gekatapulteerd worden tot volkshelden: Coppi, Bartali, Anquetil, Merckx, Hinault, Zoetemelk, Bobet, Pantani, Ullrich, Armstrong.
Het gevoel van verwondering blijft, zeker na de doping-Tour van 1998, toen de Franse justitie pijnlijke afwijkingen in de gedragslijn van de aanbeden atleten blootlegde. Het volk bleef massaal toestromen en applaudisseren.
Kennelijk kan niets het allesoverheersende respect voor de mannen breken, die ver uitstijgen boven wat een normaal mens aan ongemakken kan verdragen.

Jean Nelissen

De Pioniersjaren

1903-1914

Maurice Garin, winnaar Tour de France 1903.
Voordat hij zijn wielerloopbaan begon, was Garin knecht van een schoorsteenveger in Maubeuge. Als wielrenner beschikte Garin ondanks zijn kleine gestalte over een enorme weerstand en groot herstelvermogen. Dat moest ook wel, gezien de lengte van de koersen in die jaren. In 1901 won Garin de wedstrijd Parijs-Brest-Parijs over ruim 1200 km met een gemiddelde snelheid van meer dan 33 km/uur. De Tour van 1903 won hij met bijna drie uur voorsprong op zijn naaste belager Lucien Pothier.

Maurice Garin op leeftijd voor zijn garage in Lens.

Het erepodium van de tweede Tour de France in Parijs, 1904. Maurice Garin wordt geflankeerd door zijn broer Cesar (3de) en Lucien Pothier (2de).
Vier maanden na de Tour werden zij net als de nummer vier Hippolyte Aucouturier gediskwalificeerd en uit de uitslag geschrapt. De nummer vijf uit het klassement, de negentienjarige Henri Cornet, werd alsnog tot winnaar uitgeroepen (en blijft tot de dag van vandaag de jongste Tourwinnaar). De vier zouden het parcours niet geheel hebben afgelegd en zelfs per trein hebben gereisd. Garin werd voor twee jaar geschorst, maar heeft de beschuldigingen altijd ontkend. Uit protest kwam hij lange tijd niet in wedstrijden uit. In de Tour keerde hij nooit meer terug.

Louis Trousselier, 'le Fleuriste', Tour de France 1905.
Eén dag slechts kreeg Louis Trousselier verlof van zijn kazerne om aan de start van de Tour te verschijnen. Toen hij de eerste etappe won, werd dit verlof meteen verlengd. Trousselier won nog vier etappes en won bovendien de ronde, die deze keer volgens een puntensysteem werd verreden om de invloed van materiaalpech op de uitslag te verkleinen. Ook waren in deze Tour voor het eerst bergen opgenomen. Om obstakels als de Ballon d'Alsace te overwinnen draaiden de renners hun achterwiel om naar de kant waarop het bergverzet was gemonteerd. Zijn zege maakte van 'Trou-Trou' een gefortuneerd man, die ondanks zijn onverzadigbare goklust genoeg geld overhield om in een chique Parijse wijk een bloemenzaak op te zetten.

Georges Passerieu en René Pottier, Tour de France 1906.
Zij zouden in deze Tour respectievelijk tweede en eerste worden. Pottier was de eerste bergkoning uit de Tour. In 1906 was hij op alle fronten oppermachtig. Hij won de etappe Douai-Nancy (400 km!) ondanks vijf lekke banden. In de etappe van Grenoble naar Nice bouwde hij zo'n grote voorsprong op dat hij halverwege kon stoppen om in een café een fles wijn te nuttigen; vervolgens won hij alsnog de rit. Een half jaar na zijn Tourzege werd Pottier smoorverliefd. De vrouw in kwestie zag echter meer in een andere man. In een dramatische uiting van liefdesverdriet drapeerde Pottier zijn wielermedailles keurig op volgorde om zich heen. Toen hing hij zich op.

Lucien Petit-Breton, Tour de France 1906.
Petit-Breton, wiens echte naam Mazan was, zou in zijn tweede Tour net niet op het podium geraken. In Buenos Aires, waar hij een deel van zijn jeugd doorbracht (wat hem de bijnaam 'de Argentijn' opleverde), had Petit-Breton een racefiets in een loterij gewonnen. Omdat zijn wieleractiviteiten niet in goede aarde vielen bij zijn vader, nam hij een pseudoniem aan. Vijf jaar nadat hij voor het eerst op een racefiets zat, verbeterde hij het wereldduurrecord (tot 41 km 110 m). In 1907 en 1908 won hij de Tour.

Petit-Breton, winnaar van de Tour de France 1907.
Hij won twee etappes en eindigde in het eindklassement vóór Garrigou en Georget. In 1908 was zijn zege overtuigender: hij boekte daarin vijf dagsuccessen. Petit-Breton werd slechts 35 jaar. In 1917 kwam hij om het leven bij een auto-ongeluk aan het oorlogsfront bij Troyes.

Start van de Tour de France 1909 met op het eerste plan Trousselier en Faber.
Louis Trousselier was over zijn hoogtepunt heen, maar won in deze Tour nog wel de etappe Bordeaux-Nantes. François Faber, de Luxemburgse dokwerker, won in 1909 als eerste niet-Fransman de Tour. De 'reus van Colombes' (91 kg!) legde dat jaar, zelfs in de bergen, een ongekende suprematie aan de dag. Hij won de tweede tot en met de zesde etappe.

Etappe Luchon-Bayonne, Tour de France 1910.
In dat jaar voerde het parcours voor het eerst door de Pyreneeën. Op bijna onbegaanbare paadjes en in apocalyptische weersomstandigheden werd de strijd om de Tourzege een gevecht van man tegen man tussen Lapize en Faber. Lapize bleek de sterkste.

Octave Lapize arriveert als Tourwinnaar in Parijs, Tour de France 1910.
Dit was de enige keer dat Lapize de ronde uitreed. Hij vond de Tour maar niets. De klassiekers waren minder zwaar en betaalden beter. In 1913 protesteerde Lapize op ludieke wijze tegen de omstandigheden in de Tour door vlak na de start van de 13de etappe uitgebreid te gaan dineren in een herberg. Lapize overleefde de Eerste Wereldoorlog niet. Als piloot in het Franse leger werd hij op 14 juli 1917, de Franse nationale feestdag, boven Pont-à-Mousson uit de lucht geschoten. Hij werd slechts 29 jaar.

Gustave Garrigou na zijn zege in de Tour de France 1911.
Garrigou stond zesmaal op het podium, maar won de Tour alleen in 1911. Hij verstond als geen ander de kunst om snel te herstellen van grote inspanningen. Geen overbodige luxe, gezien de vele lange etappes over slechte wegen in de beginjaren van de Tour. In 1911 was de kortste etappe 289 km lang (maar dat was wel de koninginnerit door de Pyreneeën). De langste etappe, van La Rochelle naar Brest, telde liefst 470 km.

Paul Duboc vergiftigd, 10de etappe Tour de France 1911.
Superklimmer Paul Duboc leek een goede kans op de Tourzege te maken, totdat hij in de Pyreneeën drank aannam van een onbekende en prompt doodziek werd. Dubocs supporters vermoedden kwade opzet en waren woedend. Toen de Tour later door Dubocs woonplaats Rouen trok, moest klassementsleider Garrigou in vermomming uit de stad geloodst worden om een lynchpartij te voorkomen. Duboc eindigde overigens toch nog als tweede.

Odile Defraye,
Tour de France 1912.
In 1912 won Defraye als eerste Belg de Tour. Hoewel pas op het laatste toegelaten tot de ronde, bleek Defraye al snel sterker dan zijn kopman Garrigou. Zijn aanstaande zege enthousiasmeerde de Belgische renners zozeer dat zij allen in dienst van Defraye gingen rijden, ongeacht tot welke ploeg zij behoorden. Dit tot grote verontwaardiging van de Fransen. De complete ploeg van La Française verliet uit protest zelfs de ronde.

Faber prepareert zich, Tour de France 1913.
In zijn voorlaatste Tour won François Faber nog een etappe en werd vijfde in het eindklassement. In 1915 sneuvelde Faber toen hij zijn loopgraaf verliet om een gewonde kameraad in veiligheid te brengen. Faber werd 28 jaar.

Het Interbellum

1919-1939

Eugène Christophe met zijn vrouw op het podium in Parijs, na zijn derde plaats in de Tour de France 1919.
Christophe behoort tot de legendarische pechvogels van de Tour. In de editie van 1913 had hij de overwinning voor het grijpen, maar in de afdaling van de Tourmalet brak hij zijn voorvork. Aangezien hulp van derden in die dagen verboden was, moest Christophe met zijn fiets op de schouders 13 km lopen naar St. Marie-de-Campan. In de plaatselijke smidse repareerde hij eigenhandig zijn fiets. Hij verloor vier uur én de Tour. Ook de gele trui die hij in 1919 als eerste renner in de geschiedenis mocht aantrekken bracht hem geen geluk. In de voorlaatste etappe brak hij opnieuw zijn vork, waardoor hij kansloos werd. Iets dergelijks gebeurde hem nogmaals in de Tour van 1922. Na een framebreuk in de afdaling van de Galibier reed Christophe op een zware damesfiets, geleend bij de pastorie van Valloire, over de Col du Télégraphe naar de controlepost.

Firmin Lambot rijdt lek in de Tour van 1920, die hij als derde zal afsluiten.
Lambot won de Tour tweemaal. In beide gevallen speelde geluk een grote rol. De editie van 1919 won hij doordat klassementsleider Eugène Christophe zijn voorvork brak en drie uur oponthoud ondervond. In 1922 kreeg Lambots landgenoot Hector Heusghem, eveneens rijdend in de gele trui, kort voor het einde van de Tour op dubieuze gronden een uur straftijd. Door de merkwaardige omstandigheden rondom zijn zeges is Lambot altijd een onderschatte renner gebleven.

Léon Scieur in de Pyreneeën, Tour de France 1921.
Hij zal in de etappe Bayonne-Luchon als derde eindigen achter zijn landgenoten Heusghem en Dejonghe.
In zijn vijfde Tour leverde Scieur een indrukwekkende prestatie. De Waalse krachtpatser reed vanaf de tweede etappe in het geel en won het eindklassement. In het begin van de voorlaatste etappe Metz-Duinkerken (433 km!) reed Scieur de spaken uit zijn wiel. Hij kreeg een nieuw wiel aangereikt, maar moest aan de jury kunnen aantonen dat de wissel echt noodzakelijk was. Daarom reed Scieur meer dan 300 km met het kapotte achterwiel op zijn rug. Onder het bloed kwam hij aan de finish. De littekens van deze barre tocht heeft hij zijn hele leven gehouden.

Scieur gehuldigd als Tourwinnaar, Parijs 1921.

menselijk lijden

In de prille jaren van de Tour de France speelde de Parijzenaar Alfons Steines, een medewerker van Tour-directeur Henri Desgrange, een grote rol bij het vervolmaken van het parcours, zoals wij het in de moderne ronde kennen. Steines zocht zijn baas op en zei: 'De Tour moet de Pyreneeën passeren!' Het was januari 1910 en tot dan hadden de renners sinds 1905 in de Tour de Ballon d'Alsace (Vogezen), de Côte de l'Affrey en de Col Bayard (Alpen), en sinds 1907 de Echelles, Grand Chartreuse en Sapey (Savoie en Chartreuse) beklommen.
'Waanzin!' riep Desgrange tegen Steines, 'er lopen alleen maar paadjes voor herders en boeren over die bergen, daar kun je geen mensen met een fiets en onze auto's overheen jagen. En die paadjes worden ook nog elke winter door sneeuwmassa's vernield.' Maar Steines hield vol. 'Patron, laat mij die bergen gaan verkennen!' Uiteindelijk gaf Desgrange toe en vertrok Steines hartje winter naar de Pyreneeën om poolshoogte te nemen. Hij arriveerde in het dorpje Eaux-Bonnes aan de voet van de Aubisque en begon met de regionale autoriteiten te onderhandelen. Steines bereikte uiteindelijk overeenstemming. Voor 2000 francs zou provisorisch een weggetje over de Aubisque worden aangelegd, waarop de karavaan in de zomer zou kunnen passeren.
Steines vond een automobilist bereid hem over de Tourmalet te rijden. Enkele kilometers onder de top durfde de chauffeur niet verder. Hoge sneeuwmuren betekenden een latent gevaar. Steines ging in de sneeuwwoestenij te voet verder en bevroor bijna. Maar hij bereikte na tal van ontberingen Barèges aan de andere kant van de berg.
'De Pyreneeën zijn zeer geschikt om de renners te laten passeren,' telegrafeerde hij aan Desgrange in Parijs. En zo durfde Desgrange het aan om de ruige bergen Aubisque, Aspin, Peyresourde en Tourmalet in wat genoemd wordt 'Het Vierkant van de Dood' in het parcours op te nemen. Maar dat heeft Desgrange geweten.
De renners ploeterden in 1910 over modderige, bijna onbegaanbare paadjes, naar de toppen tot boven 2000 meter. Het was een onmenselijke opgave. Vele renners raakten achterop en in paniek, ondermeer wegens de verhalen over wilde beren die uit Spanje over de toppen klauterden om schapen die van de kudden waren verwijderd, op te peuzelen. En de hongerige beren schrokken er ook niet voor terug mensen aan te vallen.
Sommige renners riepen 'Moordenaar' en 'Sadist' tegen Desgrange. De Tourdirecteur zweeg, Steines zat weggedoken in zijn overjas in een auto. Maar de Pyreneeën zorgden voor een nieuw heldenepos in de ronde,
Toen de 'Koning van de Pyreneeën', Octave Lapize, zoon van een arbeider uit Montrouge bij Parijs, bijgenaamd 'Le Frisé' wegens zijn mooie, weelderige haardos, uiteindelijk de beide etappes in Luchon en Bayonne won en stralend op het podium stond, riep Desgrange opgelucht: 'Nu weet ik het zeker, de mens is sterker dan de rotsen.'
Hij zweeg discreet over de hartverscheurende taferelen die zich in de Pyreneeën in het noodweer hadden afgespeeld. Lapize zou overigens zijn heldendaden maar zeven jaar overleven. De Eerste Wereldoorlog brak uit en 'Le Frisé' meldde zich als piloot vrijwillig bij het Franse

leger. Boven Pont-à-Mousson schoten de Duitsers op de Franse nationale feestdag 14 juli 1917 zijn vliegtuig aan flarden.
Het hooggebergte werd steeds belangrijker in de Tour de France. In 1911 beklommen de renners voor het eerst de Galibier in de Alpen, in 1922 werd in de Alpen de Col d'Izoard gepasseerd. In 1948 volgde de Glandon en in 1952 Alpe d'Huez.
De hooggelegen oorden voor ski- en zomervergenoegens, zagen in toenemende mate in de Tour de France een ideale manier om hun 'paradijselijke' attracties wereldkundig te maken. Avoriaz, Crans-Montana, Font Romeu, Guzet-Neige, Hautacam bij Lourdes, Isola 2000, La Plagne, Luz-Ardiden, Mont Genèvre, Mont Ventoux, Orcières-Merlette, Pla d'Adet, Pra-Loup, Saint-Gervais bij de Mont Blanc, Sestrières, Superbagnères, Val-d'Isère en Villard-de-Lans ontvingen de karavaan. Honderdduizenden stroomden toe om de renners in slow-motion voorbij te zien zwoegen.
De helden waren meest frêle mannetjes met dunne beentjes, lichtgewichten, die in de ijle lucht naar roem klommen. In het hooggebergte als podium voor menselijk lijden.

Thys op de Col du Galibier, Tour de France 1922.
Hoewel de Belg Philippe Thys in 1922 over zijn hoogtepunt heen was en in het eindklassement 14de werd, won hij in deze Tour toch nog vier etappes. Thys won de Tour driemaal, in 1913, 1914 en 1920. In 1914 reed hij zelfs van de eerste tot de laatste dag aan de leiding, hoewel het uiteindelijke verschil met Henri Pélissier minimaal was. Thys was een trainingsmaniak, die zich voortdurend probeerde te verbeteren. Hij schoor zijn snor af in het belang van de aërodynamica. In de eerste Tour na de Eerste Wereldoorlog noemde Tourdirecteur Desgrange Thys, die de topvorm nog niet te pakken had, een 'decadente burger'. Het jaar daarop haalde Thys zijn gram: hij won de Tour met overmacht.

Henri Pélissier, Tour de France 1923.
Met zijn Tourzege in 1923 maakte Henri Pélissier een einde aan de jarenlange overheersing van de Belgen. Hij was de oudste en meest getalenteerde van de befaamde broers Pélissier; de anderen waren Francis en Charles. De impulsieve Henri had altijd een gespannen relatie met de Tourdirectie. Voor het begin van de derde etappe van de Tour van 1924 voelde een koerscommissaris aan het lichaam van Pélissier om zeker te stellen dat deze slechts één trui droeg, zoals in die dagen voorgeschreven was. De woedende Pélissier stapte prompt uit de ronde, mét zijn broer Francis. Dit leidde bijna tot een volksopstand tegen de organisatie van de Tour.
In 1935, vijf jaar nadat hij zijn profcarrière beëindigd had, werd Henri Pélissier door zijn 20-jarige vriendin Camille 'Miette' doodgeschoten. Miette meende dat Pélissier haar zus bedreigde. Henri Pélissier stierf door dezelfde revolver waarmee zijn vrouw Léonie een paar jaar eerder zelfmoord had gepleegd.

Ottavio Bottecchia in het Parc des Princes met de bloemen voor zijn Tour-overwinning in 1924.
Bottecchia was de eerste Italiaan die de Tour won. Hij kwam in 1923 naar de Tour en werd meteen tweede achter zijn kopman Henri Pélissier. In 1924 was hij oppermachtig en droeg van de eerste tot de laatste dag de gele trui. Op respectabele afstand achter hem eindigden Nicolas Frantz en Lucien Buysse, beiden later Tourwinnaars.

Ottavio Bottecchia op de Col d'Aubisque, Tour de France 1925.
Ook al zou Bottecchia deze etappe niet winnen, in de Tour van 1925 was zijn overmacht nog groter dan het jaar daarvoor. Nummer twee Lucien Buysse eindigde op bijna een uur.
Bottecchia was met zijn linkse ideeën een weinig populaire figuur in het fascistisch gekleurde Italië van die dagen. In 1927 overleed hij op 32-jarige leeftijd nadat hij bij een trainingsrit aan het hoofd gewond was geraakt. Volgens sommigen was hij door fascisten gelyncht. Anderen houden het erop dat een boze boer hem een steen naar het hoofd had geslingerd toen Bottecchia fruit plukte uit diens boomgaard.

Renners bij de ravitaillering in de eerste etappe Evian-Mulhouse, Tour de France 1926.
De Tour van 1926 was de langste uit de geschiedenis. De renners legden een totale afstand af van 5795 km.

Vier helden uit de Tour van 1928:
Gaston Rebry (12de), Julien Vervaecke (5de), André Leducq (2de) en Nicolas Frantz (1ste).
De Luxemburger Nicolas Frantz reed in deze Tour van de eerste tot de laatste dag in het geel en had in Parijs ruim vijftig minuten voorsprong op Leducq. Zijn lengte (1 m 79) en gewicht (80 kg) waren een handicap die hij met zijn oerkracht compenseerde, zodat hij in de bergen toch goed meekon. In de 19de etappe (Metz-Charleville) legde hij na een framebreuk de laatste honderd kilometer op een geleende damesfiets af.

André Leducq vóór de 5de etappe Brest-Vannes, 1928.
De knappe, intelligente en ondernemende Leducq was een van de populairste Franse renners van zijn tijd. Hij eindigde in deze Tour als tweede. Twee jaar later zou hij de Tour winnen, na onder meer een wonderbaarlijk staaltje recuperatie in de 16de etappe van Grenoble naar Evian. Na een val in de afdaling van de Galibier wilde Leducq opgeven, maar met de hulp van zijn teamgenoten overwon hij zijn inzinking, maakte een achterstand van 14 minuten goed en… won de etappe. Leducqs ontreddering op de Galibier inspireerde de Duitse kunstenaar Arno Brecker tot een beeldhouwwerk, dat Leducq later vergeefs heeft geprobeerd te kopen.

De Australiër Percy Osborne stort zich op de ravitaillering in de etappe Les Sables d'Olonne-Bordeaux, Tour de France 1928.
Hij eindigde in zijn enige Tour als 38ste op ruim 22 uur van winnaar Nicolas Frantz. Osbornes ploeggenoot Hubert Opperman eindigde als 12de in deze Tour en zou later een ministerspost in het Australische kabinet bekleden.

Etappe Hendaye-Luchon, Tour de France 1928.
De inspanningen in de klim van de Aubisque worden de Belg Maurice Geldhof te veel. In 1927 won hij een etappe en eindigde hij als 10de; de Tour van 1928 zou hij niet uitrijden.

De kopgroep in de etappe Nice-Grenoble op de Col d'Allos, Tour de France 1928.
Op het eerste plan rijden Nicolas Frantz (in het geel) en Maurice Dewaele, die deze Tour als derde zou afsluiten. Dewaele won de Tour een jaar later. De Oost-Vlaming beleefde in die Tour als geletruidrager een zware inzinking in de Alpen. In de nacht voor de etappe Grenoble-Evian, die ondermeer over de Galibier voerde, werd Dewaele doodziek. 's Ochtends werd hij bewusteloos naast zijn bed gevonden. De start van de etappe werd een uur uitgesteld, terwijl men Dewaele probeerde op te lappen. Ondanks hevige buikkramp volbracht Dewaele de 329 km lange etappe en behield hij de gele trui.

Lucien Buysse in moeilijkheden in zijn voorlaatste Tour de France, 1929. Hij zal Parijs niet halen.
Buysse had de Tour van 1926 gewonnen met een lange solo in de apocalyptische Pyreneeënrit van Bayonne naar Luchon. Buysse legde de 326 km door regen en sneeuw over onder andere de Aubisque grotendeels in zijn eentje af. De nummer twee, de Italiaan Aymo, arriveerde 35 minuten later. Bij het sluiten van de controle waren nog maar 16 van de 48 deelnemers binnen. Er werd een zoektocht georganiseerd; de verkleumde renners werden opgespoord in spelonken en herdershutjes, waar zij schuilden voor het noodweer. Pas rond middernacht was iedereen terecht.

Charles Pélissier, een van de beroemde broers Pélissier, na zijn overwinning in de etappe Perpignan-Montpellier, Tour de France, 1930.
Het was zijn vierde etappezege. In totaal zou hij in deze Tour acht etappes winnen, tot op de dag van vandaag een gedeeld record (met Merckx en Maertens). De laatste vier etappes won hij vooral dankzij de steun van Leducq, als tegenprestatie voor Pélissiers hulp aan de Tourwinnaar in de Alpen.

Tour de France 1930.
Verzorging van de fietsen op de rustdag in Belfort, daags na Leducqs magnifieke exhibitie in de Alpen. (Zie pagina 20)

DE HITTE IN DE MIDI ALS BESTENDIGE VIJAND

de hitte als vijand

28 juli is de verjaardag van de hitte in de Tour. Op die gedenkwaardige dag werd in 1950 de etappe tussen Perpignan en Nîmes verreden. Het was de dertiende dag van de ronde en het was de dag van de hel. Aan de hemel brandde hellevuur.

Het asfalt smolt. De temperatuur steeg boven 35 graden in de schaduw. Gewone stervelingen waagden zich niet buiten. Maar de renners begonnen onder de geseling van de onbarmhartig brandende zon aan hun rit over 215 kilometer. Het peloton had alleen maar aandacht voor drinken, in welke vorm ook. De renners bestormden fonteinen in de dorpjes die ze passeerden, en bij café's langs de route renden de renners naar binnen en gristen alles wat drinkbaar was van de bar. Een commissaris rende met hen mee, een blocnote en pen in de hand. Hij noteerde de rugnummers en zoveel mogelijk flessen die werden meegenomen. De commissaris rekende meteen met de onthutste kastelein of herbergier af en snelde de renners achterna, die later de rekening gepresenteerd kregen.

Gekoelde drank in de auto's van de ploegleiders of in neutrale wagens en in boxen op motoren, was er toen nog niet. Om te overleven grepen de Tourrenners alles aan dat drinkbaar was en dat hun werd aangereikt.

Op deze helledag, 28 juli 1950, begrepen twee Algerijnen, Marcel Molines en Abdel-Kader Zaaf, dat hier hun kans op het vergaren van roem lag. Gewend aan de duivelse hitte in de Noord-Afrikaanse Sahara gingen ze er spoedig vandoor en veroverden tenslotte twintig minuten voorsprong op het peloton, waarin de meeste renners niet eens wisten dat het tweetal ontsnapt was.

Twintig kilometer vóór de finish in Nîmes begon Abdel-Kader Zaaf zigzaggend over de weg te rijden. Hij viel van zijn fiets en toeschouwers legden hem onder een boom. Daar viel Zaaf in slaap. Volgens ooggetuigen stonk hij naar drank. Twee commissarissen slaagden erin hem wakker te maken. Zaaf stond op, greep zijn fiets en reed... het peloton tegemoet. Wat verder viel hij weer van zijn fiets en bleef liggen.

In de ambulance werd vastgesteld dat hij een indringende dranklucht verspreidde. Onderweg zou hem een fles wijn zijn aangereikt, die hij gedronken zou hebben.

Een andere lezing is dat toeschouwers, terwijl hij onder de boom lag te slapen, een fles rode wijn over zijn hoofd hadden gegoten.

Een derde lezig is dat Zaaf van een Belgische renner een doosje peppillen had gekregen die hij allemaal had genomen.

Merkwaardigerwijs sprak niemand erover dat Zaaf misschien wel gewoon bevangen werd door de hitte.

Tweeëndertig jaar later, toen hij voor een oogoperatie naar Parijs terugkeerde, vertelde Zaaf zijn waarheid. 'Een toeschouwer reikte mij een drinkbus aan. Ik dronk die bus leeg en plotseling begon de weg voor mijn ogen te draaien. Ik geloof dat pure alcohol in die bus heeft gezeten. Ik viel van mijn fiets en toen heeft een toeschouwer een fles wijn in een café gehaald. Toen ik wakker werd, merkte ik dat ik wijn dronk. De wijn liep over mijn trui en daarom stonk ik zo naar de drank.'

Molines won in Nîmes de etappe en Zaaf staakte de strijd.

De hitte, die veel atleten in de Tour sloopt, kan voor sommigen ook een metgezel op weg naar succes zijn.

Op 20 juli 1955, vijf jaar na Abdel-Kader Zaaf, hing de hitte weer loom boven de Tourkaravaan. In de 13de etappe van Millau naar Albi onderhield het peloton in de eerste twee uren op het golvende parcours in de Midi een matig tempo.

De Amsterdammer Daan de Groot was een van de renners die door de hitte bevangen, ondanks de geringe snelheid, uit het peloton loste. Hij stapte van zijn fiets, liep een veld in en beschutte zijn hoofd en hals met grote koolbladeren.

De Groot achterhaalde na 55 km de groep weer en versnelde meteen. Niemand reageerde en De Groot verdween spoedig uit het zicht. Op weg naar Albi vergat De Groot niet regelmatig te eten en vooral te drinken. Hij reed niet voluit en spaarde zijn krachten voor de finale.

Na 5½ uur bereikte De Groot het aankomstcircuit in Albi. De speaker riep dat hij 'treize' (dertien) minuten voorsprong had. Maar de Amsterdammer verstond geen Frans en dacht dat het peloton hem op de hielen zat. Hij begon in de hitte als een furie te rijden en finishte na een solo van 150 kilometer met een voorsprong van 20 minuten en 31 seconden.

De prestatie van Daan de Groot was, gezien de zeer hoge temperatuur, indrukwekkend. Hij reed de 205 kilometer met een gemiddelde snelheid van 37 km en 160 meter per uur. De Groot had in Albi zoveel voorsprong op het geplande tijdschema, dat de radioreportages die dag volledig de mist ingingen.

Ook de langste solo van na de oorlog, vond plaats bij temperaturen van rond de 35 graden. In de eerste na-oorlogse Tour reed de Fransman Albert Bourlon in 1947 tussen Carcassonne en Luchon liefst 253 kilometer alleen. De 30-jarige Bourlon ontsnapte vlak na de start en had in Luchon na een lijdensweg van 8 uur, 10 minuten en 1 seconde nog ruim 16 minuten voorsprong. Zijn gemiddelde snelheid bedroeg die dag bijna 31 kilometer. De hitte was zijn compagnon en kwelgeest geweest. Bourlon had gevloekt en gebeden. Maar zijn enorme doorzettingsvermogen bracht hem in zijn laatste Tour de France alsnog het succes, waarnaar hij 10 jaar vergeefs gestreefd had.

de hitte als vijand

Een anonieme renner vecht tegen de hitte in de Tour van 1930.

Tour de France 1931.
De latere winnaar Antonin Magne voor de start van de voorlaatste etappe Charleville-Malo-les-Bains met zijn ploeggenoten Jean Maréchal en Charles Pélissier. 'Antonin-le-Sage' was in het hectische wielermilieu een toonbeeld van rust en gezag. Hij was een renner van grote regelmaat en met veel tactisch inzicht, die zorgvuldig met zijn krachten omsprong. Wel was hij vaak het slachtoffer van ernstige valpartijen. In de Tour van 1935 moest hij met ernstige verwondingen op een boerenkar van de Col du Télégraphe worden afgevoerd; andere transportmiddelen waren niet beschikbaar. Na zijn actieve wielerloopbaan was Magne lange tijd werkzaam als ploegleider.

Renners klimmen over een spoorbaanhek in de Tour van 1932.

Het peloton trekt door Corps in de 8ste etappe van de Tour van 1933.
Leider in deze etappe van Grenoble naar Gap is Georges Speicher, die niet alleen de etappe maar ook de Tour zou winnen.

Georges Speicher na zijn Tourwinst in 1933.
Speicher zat pas op zeventienjarige leeftijd voor het eerst op een fiets. Des te opmerkelijker was het dat hij zich ontwikkelde tot de behendigste daler uit het peloton, die met doodsverachting van de gevaarlijkste hellingen afsuisde. Vooral deze vaardigheid bezorgde hem de zege in de Tour van 1933, waarin het verschil met runner-up Learco Guerra slechts één minuut bedroeg. In de afdaling van de Galibier maakte hij bijvoorbeeld 6,5 minuut goed op de koploper.
Later dat jaar werd hij ook wereldkampioen; het was de eerste keer dat een Tourwinnaar dat in één jaar presteerde.

Antonin Magne en René Vietto zij aan zij op de Col de Vars tijdens de etappe Gap-Digne in de Tour van 1934.
Vietto, de kelner uit Cannes, maakte een opzienbarend debuut in de Tour, en werd meteen bergkoning. Hij had zelfs de Tour kunnen winnen als hij niet in twee achtereenvolgende Pyreneeën-etappes aan zijn kopman Magne een wiel had moeten afstaan. Hij eindigde toch nog als 5de, op bijna een uur van Magne, en werd de morele winnaar van de Tour.

Roger Lapébie in Ax-les-Thermes na zijn zege in de 15de etappe van de Tour van 1934.
De Fransman eindigde in deze Tour als derde en won vijf etappes. Drie jaar later zou hij zelfs de Tour winnen, zij het onder enigszins verdachte omstandigheden.

De Italianen Francesco Camusso en Ambrogio Morelli in hun hotel in Grenoble, na respectievelijk als eerste en tweede geëindigd te zijn in de 8ste etappe van de Tour van 1935.
Morelli won later twee etappes en ontpopte zich vooral in de Pyreneeën als de belangrijkste belager van winnaar Romain Maes. Hij beëindigde de Tour als tweede.

Tourdirecteur Desgrange kijkt toe hoe Sylvère Maes een lekke band repareert in de afdaling van de Galibier.

Romain Maes rijdt met voorsprong het Parc des Princes binnen en wint in de gele trui de laatste etappe van de Tour van 1935.

Op vier Tourstarts haalde Romain Maes driemaal de finish niet, maar in 1935 toonde hij een leeuwenhart. Hij won drie etappes en droeg van de eerste tot de laatste dag de gele trui, ondanks een reeks tegenslagen. Zo brak Maes in de tijdrit van Rochefort naar La Rochelle zijn frame, maar hij voltooide de etappe door met één hand de gebroken buis bij elkaar te houden; hij realiseerde zelfs de tweede tijd. Na zijn overwinning in Parijs viel hij zijn moeder in de armen, die voor het eerst van haar leven naar het buitenland was gereisd.

DE GENERAALS IN DE TOUR DE FRANCE

van Henri Desgrange via Jacques Goddet naar Jean-Marie Leblanc

de generaals in

De notarisklerk Henri Desgrange van de jaargang 1865 was rond de eeuwwisseling verzot op wielrennen. Op 11 mei 1893, hij was toen 28, vestigde Desgrange met zijn zware fiets van 15,5 kilo op de Parijse wielerbaan Buffalo het eerste werelduurrecord. Hij legde 35 km en 325 meter af.
Hij werd journalist en leider van de pr-afdeling van de bandenfabrikant Adolphe Clément. In die dagen werd Frankrijk overspoeld door een enorme aandacht voor het zich voortbewegen op fietsen. In en rond Parijs verschenen meer dan tien wielerbladen. Aan voetbal werd in die tijd relatief weinig aandacht besteed.
Op 16 oktober 1900 verscheen voor het eerst *l'Auto-Vélo*, de nieuwe sportkrant die de strijd zou gaan aanbinden met de grote concurrent *Le Velo* van hoofdredacteur Pierre Giffard, die sinds 1892 werd uitgegeven. Adolphe Clément had Henri Desgrange gevraagd de leiding van *l'Auto-Vélo* op zich te nemen, De bandenfabrikant financierde met enkele gefortuneerde zakenvrienden het blad.
Desgrange was op zoek naar een stunt om zijn krant onder de aandacht van het grote publiek te brengen en het idee werd geleverd door een van zijn jonge medewerkers, Géo Lefèvre. Tijdens een etentje in november 1902 in de brasserie Zimmer aan de boulevard Montmartre zei Lefèvre: 'Waarom houden wij geen Tour de France?' Desgrange keek hem sprakeloos aan. 'Dit is een waanzinnig idee, maar ik geloof dat we het moeten doen.'
Op 19 januari 1903 verscheen er een éénkoloms berichtje in *l'Auto-Vélo* dat er een Ronde van Frankrijk verreden zou worden. Het prijzengeld bedroeg 20.000 francs. Om een indicatie te geven: een auto van het merk Georges Richard met drie versnellingen, drie remmen en vier zitplaatsen kostte in die dagen 4375 francs.
Op 1 juli 1903 werd voor de Auberge Le Réveil Matin in het dorpje Montgeron, 19 km van de Champs Elysées, het startsein gegeven voor de eerste Tour de France. Om kwart over drie 's middags begonnen 60 renners aan het grote avontuur.
De Tour bleek een waanzinnig succes. De oplage van *l'Auto* (de toevoeging *Vélo* was inmiddels door de rechter na een klacht van Pierre Giffard verboden) steeg van 30.000 naar 65.000 met op sommige dagen pieken van meer dan 100.000 exemplaren.
33 lange jaren bleef Henri Desgrange de grote baas van de Tour. Totdat hij in 1936 ziek werd en in Charleville zijn ronde verliet. Jacques, de zoon van zijn boekhouder/administrateur Victor Goddet, werd zijn opvolger. Henri Desgrange stierf op 16 augustus 1940. Jacques Goddet, die in Oxford gestudeerd had en zich tijdens de Tour bij voorkeur kleedde in het uniform van een Indische generaal met een tropenhelm op zijn hoofd, had de Tour voor het

eerst in 1928 als genodigde gevolgd. Hij debuteerde in 1929 als journalist in de ronde. Zeven jaar later werd hij de opvolger van Desgrange.
In 1985 begon Goddet, die door de samenwerking van zijn blad *l'Equipe* (sinds 1946 de opvolger van *l'Auto*) met *Le Parisien Libéré* jarenlang Félix Lévitan als mede-directeur naast zich moest dulden, aan zijn 50ste Tour de France. Hij vierde aan boord van de Navispace zijn 80ste verjaardag.
Op 1 januari 1986 trok Goddet zich terug. Hij stierf op vrijdag 15 december 2000 op 95-jarige leeftijd. Zijn co-directeur Félix Lévitan, zoon van een Parijse schoenmaker, leeft nog in Cannes. Hij is nu 90 jaar.
Lévitan begon in 1928 als journalist bij het blad *La Pédale*, een van de florerende wielerbladen. Na de oorlog kwam hij terecht bij *Le Parisien Libéré*. En door de samenwerking binnen het concern Amaury ook bij de Tour de France.
Op woensdag 27 maart 1987 kwam er echter abrupt een einde aan de machtspositie van Lévitan binnen de Tourorganisatie. Hem werd de toegang tot zijn kantoor ontzegd, als gevolg van 'ernstige meningsverschillen binnen de Société du Tour de France,' zo meldde het persbureau AFP.
Lévitan zou onder andere de televisierechten van de Tour in de Verenigde Staten veel te goedkoop hebben verkocht. Er volgde een rechtszaak. Uiteindelijk sloten het concern Amaury en Lévitan vrede, waardoor de ex-directeur als gast van zijn opvolger Jean-Marie Leblanc in 1998 weer een paar dagen in de Tourkaravaan verscheen.

Op 19 oktober 1988 werd de oud-Tourrenner (deelname 1968 en 1970) en oud-journalist Jean-Marie Leblanc benoemd tot Tourdirecteur. Opnieuw kreeg een journalist het commando over 's werelds grootste wielerevenement.
Jean-Marie Leblanc werd geboren op 27 juli 1944 in Meural (Noord-Frankrijk) en studeerde handelsrecht aan de universiteit van Lille. Hij kent het metier als geen ander. Hij fietste als professional aan de zijde van Jacques Anquetil en Jan Janssen in de beroemde ploegen van Pelforth en BIC.
In de 13 jaar dat hij nu aan de macht is, is Leblanc een aimabele, doortastende en intelligente manager gebleken, die in geval van bijvoorbeeld aantoonbaar dopinggebruik keiharde maatregelen niet schuwt. Hij verstootte in 1998 de Festinaploeg met de Franse topfavoriet Richard Virenque uit de Tour, nota bene veruit de populairste wielrenner van het land.
Jean-Marie Leblanc is een felle voorvechter voor het behoud van sportieve waarden in de ronde. Hetgeen gezien de voortschrijdende commercialisering, de medische begeleiding en de enorm gestegen belangen, geen eenvoudige taak is.

Huldiging van de Nederlandse ploeg in Bergen op Zoom na afloop van de Tour de France van 1936.
Van links naar rechts Theo Middelkamp, Albert Gijzen, Toon en Albert van Schendel.
In 1936 verscheen voor het eerst een Nederlandse ploeg in de Tour. De Zeeuw Theofiel Middelkamp, die nog nooit van zijn leven een berg had gezien, zorgde voor een sensatie door de bergetappe Aix-les-Bains-Grenoble te winnen.
Albert van Schendel eindigde als 15de in het algemeen klassement.

Sylvère Maes en de Luxemburger Pierre Clémens na de finish in Briancon, één dag na Middelkamps triomf in de Tour van 1936.
Clémens zou als debutant beslag leggen op de vierde plaats in het eindklassement.

De Spaanse klimmer Federico Ezquerra en de Belg Sylvère Maes in de etappe Nice-Cannes, Tour de France 1936.
Ezquerra won de etappe, Maes de Tour. De populaire renner uit Gistel, geen familie van de Tourwinnaar van 1935, stond bekend als een geslepen vos, hetgeen hem in eigen land de bijnaam 'Lepe Peer' opleverde.

De Nederlandse ploeg staat klaar voor de start van de Tour de France van 1937.
Van links naar rechts Toon van Schendel, Theo Middelkamp, Albert van Schendel, John Braspennincx, Gerrit van der Ruit en Piet van Nek.
De Tour van 1937 verliep voor de Nederlanders aanzienlijk minder succesvol dan die van het jaar daarvoor. Er waren geen dagsuccessen en slechts één landgenoot haalde Parijs: Toon van Schendel werd 33ste.

Rustdag in Genève: renners relaxen op het meer, Tour de France 1937.

Pierre Gallien op de Col du Galibier, Tour de France 1937.
De jonge Gallien toonde zich in zijn eerste Tour een uitstekend klimmer en eindigde als 8ste in het algemeen klassement.

Een cruciaal moment in de Tour van 1937.
De Belgische ploeg met daarin geletruidrager Sylvère Maes, in de achtervolging op Roger Lapébie en andere favorieten na een bandbreuk van Maes. De Belgen worden gehinderd door een gesloten spoorwegovergang in de 23ste etappe Pau-Bordeaux. Het is de druppel die de emmer doet overlopen na een opeenvolging van pechgevallen en dubieuze jurybeslissingen ten gunste van Lapébie. Maes weet in deze rit de gele trui te behouden, maar vier dagen later wordt de vijandige opstelling van het Franse publiek zo beklemmend dat hij met de hele Belgische ploeg naar huis afreist. Lapébie wint de Tour.

Tour de France 1938, 2de etappe Caen-St. Brieuc.
Het peloton, geleid door de Belg Emile Masson jr., die in deze Tour een etappe zou winnen, passeert een rijwiel uit een ander tijdperk.

Tour de France 1938, 6de etappe.
De Tour vormt een welkome afleiding voor de wasvrouwen in een bos in de omgeving van Souston. Deze etappe bestond uit twee delen, van Bordeaux naar Arcachon en terug. Over de twee mini-etappes werd één dagklassement opgemaakt, dat gewonnen werd door de Italiaan Jules Rossi.

Een fraaie afsluiting van de Tour de France van 1938.
De veteranen André Leducq en Antonin Magne, beiden goed voor twee Tourzeges, komen hand in hand over de finish in Parijs en winnen ex aequo de laatste etappe.

Gino Bartali in Metz vóór de voorlaatste etappe van de Tour de France van 1938.
Het jaar daarvoor had de Toscaan zich in de Tour als klimfenomeen gepresenteerd. Met een ritzege in Grenoble pakte hij de gele trui. Eén dag later viel hij tijdens een afdaling van een brug in een ijzig bergstroompje, hij wist nog wel zijn trui te behouden, maar moest twee dagen later alsnog de Tour verlaten. Voor de editie van 1938 kreeg hij van 'Il Duce' Benito Mussolini de opdracht mee: 'winnen of sterven'.

Gino Bartali als Tourwinnaar in het Parc des Princes met de Italiaanse equipe.
In de Tour van 1938 won de Italiaan twee etappes en het eindklassement; hij bleef in leven.

Onder toeziend oog van Charles Pélissier, inmiddels ploegleider, doet de Fransman Amedée Fournier nog een dutje vlak voor zijn start in de tijdrit van Salles-de-Béarn naar Pau, in de Tour de France van 1939.
Fournier had al twee etappes gewonnen en een dag in het geel gereden, maar zou de Tour op de 47ste plaats afsluiten. Hij liet slechts twee man achter zich.

Jan Lambrichts in de haven van Monaco na de 18de etappe van de Tour de France 1939.
Hij baarde opzien met een 8ste plaats in het eindklassement, de eerste toptienklassering van een Nederlander in de Tour.

René Vietto in zijn natuurlijk element: de bergen.
In de Tour van 1939 werd 'le roi René' geplaagd door de naweeën van een gecompliceerde meniscusoperatie. Na iedere etappe moest zijn knie langdurig behandeld worden. Desondanks reed hij ruim twee weken in de gele trui. Een demarrage van Sylvère Maes op de Col d'Izoard in de 21ste etappe werd Vietto te veel. Hij werd tweede op een halfuur van Maes.

Het peloton in de mist op de flanken van de Col du Galibier, Tour de France 1939.
De top van deze legendarische Alpenpas ligt op 2646 meter boven zeeniveau. Daarmee is de Galibier een van de hoogste en beroemdste bergen in de Tour. Hij werd al in 1911 in het parcours opgenomen.

Naoorlogse helden

1946-1960

Ronde de France, 1946.
In het eerste jaar na de Tweede Wereldoorlog was Frankrijk nog niet klaar om de Tour te hervatten. Met een beperkt deelnemersveld organiseerde men een korte versie, de Ronde de France. Deze werd gewonnen door de klimmer Apo Lazaridès.

Een toeschouwer verkoelt de ontsnapte Ronconi en Diot, Tour de France 1947.
De Italiaan Aldo Ronconi reed een uitstekende Tour. Hij won een etappe, reed twee dagen in het geel en behaalde een vierde plaats in het eindklassement.

Pierre Brambilla, Jean Robic en Apo Lazaridès leveren strijd in de bergen in de Tour de France van 1947.
De Italiaan Brambilla (die later de Franse nationaliteit zou aannemen) nam in de 19de etappe de gele trui over van de oude Franse held René Vietto en leek de Tour te gaan winnen. Maar in de allerlaatste etappe slopen de kanshebbers Robic en Fachleitner mee in een door Briek Schotte ingezette ontsnapping. Brambilla miste de slag en verloor de ronde. Uit pure frustratie begroef hij zijn fiets in zijn achtertuin.

Raymond Impanis in actie in de langste individuele tijdrit uit de Tourgeschiedenis van Vannes naar St. Brieuc (139 km), Tour de France 1947.
De sterke Belg won de tijdrit waarin Brambilla het geel pakte, en eindigde als zesde in het algemeen klassement.

Robic kust zijn vrouw op het erepodium in Parijs, Tour de France 1947.
De gedrongen Breton Jean Robic ontleende zijn faam volledig aan zijn klimmerscapaciteiten. Toch pakte hij zijn enige Tourzege in een vlakke etappe. Robic was ook de eerste wereldkampioen veldrijden. In de jaren zeventig, ruim na het afsluiten van zijn actieve loopbaan, reed hij mee in de reclamekaravaan van de Tour. Hij stapte dan kort voor de finish op zijn fiets en kwam onder luide toejuichingen over de streep.

De gecombineerde Nederlands/Luxemburgse ploeg vóór de start van de Tour de France 1948.
De ploeg behaalde geen dagsuccessen, maar de Luxemburger Jean Kirchen eindigde als vijfde in het eindklassement.

Gino Bartali wordt omhelsd door zangeres Line Renaud na zijn zege in de Tour de France 1948.
De overmacht van Bartali in de Tour van 1948 was ongekend. Hij won zeven etappes, waaronder alle bergritten. Als enige renner won hij de Tour zowel vóór als na de Tweede Wereldoorlog en men kan slechts gissen hoe zijn erelijst er zonder de oorlog zou hebben uitgezien. De vrome Bartali ging tijdens een grote ronde regelmatig naar de kerk om te bidden, wat hem de bijnaam 'de Monnik' opleverde.

Gino Bartali op 49-jarige leeftijd met dochter Bianca Maria.
'Een eerzaam huisvader, een gerespecteerd zakenman, de trots van zijn vaderland en een voorbeeldig lid van de kerk,' aldus de Katholieke Illustratie.

Frans Pauwels kijkt nauwlettend toe hoe zijn fiets gepreparerd wordt, Tour de France 1949.
Net zomin als het jaar daarvóór zou de Nederlander Parijs halen.

Jacques Marinelli na de etappe Boulogne-Rouen, Tour de France 1949.
Marinelli eindigde in deze 4de etappe als tweede na Lucien Teisseire, maar pakte wel de gele trui, die hij zes dagen zou behouden. Van de zes Tours waaraan de Fransman deelnam, zou hij er slechts twee uitrijden. In 1949 beleefde hij zijn topjaar: hij stond in Parijs op het podium naast het Italiaanse koningskoppel Coppi-Bartali.

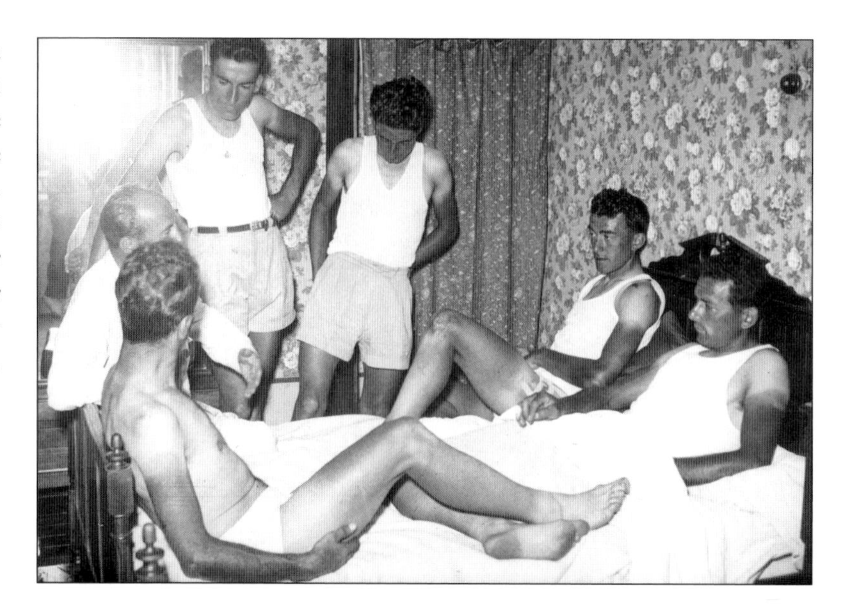

De Franse ploeg met o.a. Louison Bobet (tweede van rechts) in een hotelkamer in Les Sables d'Olonne na de 6de etappe van de Tour de France 1949.
Bobet beschikte over een enorm talent en eindigde in 1948 al als vierde in de Tour, maar hij was nog niet rijp om mee te dingen naar de hoofdprijs. De Tour van 1949 zou hij niet uitrijden.

Fausto Coppi en de Franse klimmers Lucien Lazaridès en Jean Robic scheiden zich af van het peloton op de Col d'Aubisque in de klassieke Pyreneeënetappe Pau-Luchon, Tour de France 1949.
Robic zou de etappe winnen. Coppi won de Tour. Het jaar 1949 markeerde de definitieve troonsafstand van Gino Bartali ten faveure van Fausto Coppi. Die had zich al afgetekend in de Giro van dat jaar, zo gloedvol beschreven door Dino Buzzati in diens boek 'De Ronde van Italië'. De rivaliteit tussen de godvrezende, conservatieve Bartali en de eigenzinnige Coppi verdeelde Italië lange tijd in twee kampen. Coppi was met zijn trainingsmethoden, voeding en verzorging zijn tijd ver vooruit en wordt beschouwd als de grondlegger van het moderne wielrennen.

De auto's van de Franse sportkrant *l'Equipe* staan klaar voor de Tour de France van 1950.

De Algerijnse Fransen Marcel Molines en Abdel-Kader Zaaf zijn in de verzengende hitte ontsnapt tijdens de etappe Perpignan-Nîmes, Tour de France 1950.
Molines zou de etappe winnen. Zaaf stapte op een gegeven moment versuft van zijn fiets en viel tegen een boom in slaap. Toen hij na een paar minuten wakker werd, reed hij de verkeerde kant op, het peloton tegemoet. Hij viel uiteindelijk uit; in de Tour van 1951 zou hij als laatste eindigen en daarmee drager van de 'rode lantaarn' worden, op meer dan zes uur van Tourwinnaar Coppi.

Kübler met de 'maïskoningin' na zijn zege in de etappe Menton-Nice, Tour de France 1950.
Hoewel Ferdi Kübler tijdens zijn loopbaan geplaagd werd door een groot aantal persoonlijke en sportieve tegenslagen, waaronder een chronische rugblessure, groeide hij door zijn enorme wilskracht en een spartaans trainingsregime uit tot een Tourwinnaar. De Zwitser met de opvallende haviksneus behaalde zijn zege in 1950 vooral op basis van zijn uitstekende tijdrijden. Ook werd hij in de kaart gespeeld doordat de sterke Italiaanse delegatie na bedreigingen door het Franse publiek uit de ronde vertrok. Nog altijd behoort Kübler in eigen land tot de populairste sportmensen van de afgelopen eeuw.

Ferdi Kübler bij de begrafenis van Stan Ockers, 1956.
De Belgische ex-wereldkampioen, tweemaal tweede in de Tour, overleed op 36-jarige leeftijd na een val in een baanwedstrijd.

'Wim van Est viel 70 meter diep, zijn hart stond stil maar zijn Pontiac liep.'
Zo luidde een reclameslogan voor horloges in de jaren vijftig. Wim van Est uit St. Willebrord had met een sensationele etappezege in Dax, in de 16de etappe van de Tour de France van 1951, als eerste Nederlander de gele trui veroverd. Eén dag later probeerde hij in de afdaling van de Col d'Aubisque, tijdens de Pyreneeënetappe naar Tarbes, uit alle macht de Italiaanse meesterdaler Fiorenzo Magni bij te houden. Daarbij stortte hij in de afgrond; tot ieders verbazing kwam hij er ongedeerd weer uit tevoorschijn. Maar de Tour was voor hem voorbij.

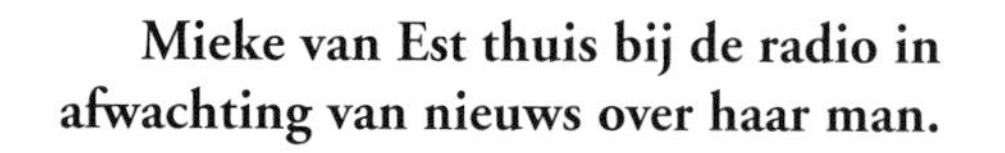

Mieke van Est thuis bij de radio in afwachting van nieuws over haar man.

'Nog iets aan te geven? Alleen een gele trui.'
Zo luidde het officiële ANP-onderschrift bij deze foto. Wim van Est keert terug uit de Tour de France 1951.

Fiorenzo Magni leidt het peloton in de 18de etappe van de Tour van 1951, van Avignon naar Marseille. *Magni zou deze etappe winnen. Hoewel de Italiaan de Tour nooit won, was hij een van de smaakmakers van de ronde in de vroege jaren vijftig. Hij won in totaal zeven etappes en droeg negenmaal de gele trui.*

Hugo Koblet met kenmerkend 'gereedschap'. *'Mooie Hugo' had altijd een kam bij zich om snel toilet te kunnen maken na een overwinning. De Zwitser was de grote man van de Tour de France 1951. In de 7de etappe, een tijdrit van 85 km van Rennes naar Angers, reed hij zo hard dat 12 renners wegens tijdsoverschrijding uit de koers genomen werden. Koblet won de etappe Brive-Agen na een solovlucht van 150 km vóór een jagend peloton met de sterkste renners uit die tijd.*

Hugo Koblet trouwt met fotomodel Sonja Buehl, 1954.
Koblets populariteit was zo groot dat zijn huwelijk meer dan 20.000 man op de been bracht. Zijn glorietijd duurde maar kort. Na het einde van zijn profcarrière in 1958 probeerde hij als zakenman een nieuw bestaan op te bouwen. Dat mislukte; Koblet raakte in financiële problemen. Toen ook zijn huwelijk op de klippen dreigde te lopen, koos hij voor de dood. Dat bleek uit de afscheidsbrief die gevonden werd nadat Koblet zijn auto met grote snelheid tegen een boom had gereden.

Coppi op Alpe d'Huez, Tour de France 1952.
In de 10de etappe van deze Tour werd voor het eerst de eindstreep op Alpe d'Huez gelegd. Fausto Coppi won de etappe en pakte de gele trui; hij legde daarmee de basis voor een superieure Tour, waarin hij de rest van het deelnemersveld op grote achterstand zette.

OP DE ALP RAAKT EN RUIKT DE TOESCHOUWER DE RONDE

In 21 bochten naar onsterfelijkheid

alpe d'huez

De Franse ingenieur Joseph Pagaron had er in 1935 geen idee van wat hij ooit nog zou aanrichten, toen hij met zijn mannen vanuit Bourg d'Oisans in het dal een weggetje aanlegde naar de top van Alpe d'Huez.
In het nu zo beroemde Alpendorp leefden toen slechts enkele tientallen mijnwerkers, die in een loodmijn met hard en ongezond werk een karig loon verdienden. Alpe d'Huez was niet meer dan één van die vele naamloze bergdorpjes in de Alpen, waar de wereld als het ware ophield te bestaan en waar de wolken vaak de toppen van de schaarse huisjes raakten.
In 1918, na het einde van de Eerste Wereldoorlog, kwamen Franse militairen op de Alp hun vaardigheid op ski's oefenen. Vijf jaar later, in 1923, werd het eerste chalet voor burgerskiërs gebouwd, voor mensen die wintersport wilden beoefenen. Er was toen maar één enkel hotelletje, met 15 kamertjes. In 1936 werd officieel het skistation Alpe d'Huez gecreëerd met de eerste skilift ooit in Frankrijk. Drie jaar later waren er al 16 hotels op de Alp.
Maar de geschiedenis van Alpe d'Huez begon pas echt op de vierde juli 1952, toen de legendarische Fausto Coppi tijdens de Tour de France voor het eerst de Alp beklom en niet alleen de etappe won, maar ook de gele trui veroverde die hij naar Parijs droeg.
Het was die dag de eerste aankomst van een etappe in de geschiedenis van de Tour op grote hoogte, de eerste aankomst op een berg.
Coppi reed, bijna 50 jaar geleden, de loodzware klim met z'n 21 bochten, in 45'22". De fameuze 'campionissimo' haalde als pionier op de Alp een gemiddelde snelheid van 18 km en 654 meter.
De weg naar Alpe d'Huez was al wel geasfalteerd, maar het wegdek was heel slecht, met veel gaten erin. Coppi moest tussen de gaten in de weg slalommen, wat het klimmen bemoeilijkte.
Op 19 juli 1997, 45 jaar later, was Alpe d'Huez voor de 20ste keer etappeplaats in de Tour. De Italiaanse lichtgewicht Marco Pantani, die vanaf de eerste kilometer in de aanval ging, realiseerde de snelste beklimming ooit. Hij bereikte de top in 36'45", een gemiddelde snelheid van meer dan 27 km per uur. Pantani was 8'37" sneller dan zijn beroemde landgenoot Coppi destijds, en Pantani reed 9 km per uur harder omhoog dan Coppi. Pantani verbeterde ook het bestaande record met 1'55".
In het verleden bereikten de renners meestal de voet van Alpe d'Huez als ze al diverse cols beklommen hadden. Dat was bij Pantani in 1997 niet het geval.
Pantani fietste via 21 haarspeldbochten, die tegenwoordig allemaal de naam van een winnaar op Alpe d'Huez dragen, 13 kilometer lang naar 1860 meter hoogte met de versnellingen 39x17 en 39x19.
De Touretappe naar Alpe d'Huez is altijd een koers in de koers. In 21 bochten naar onsterfelijkheid. Een feestdag in de ronde.
Nergens is de Tour zo dichtbij als op de Alp,

waar het publiek de renners in slowmotion voorbij ziet gaan. De helden kunnen worden aangeraakt, het zweet parelt op hun gezichten, hun ademhaling is hoorbaar en de fans kunnen een fles mineraalwater aanreiken en daardoor zelf een kleine bijdrage aan de Tour leveren. Dat maakt deze beklimming uniek.
Alpe d'Huez met zijn postmoderne kerkje, de Notre Dame de la Neige, de O.L. Vrouw van de Sneeuw. En zijn omringende rotsmassieven, waarop de eeuwige sneeuw in het zonlicht glinstert. Jarenlang luidde Jaap Reuten, de Nederlandse pastoor op de Alp, zijn klokken als er weer een Nederlandse winnaar (Joop Zoetemelk, Hennie Kuiper, Peter Winnen, Steven Rooks en Gert-Jan Theunisse) in de ijle lucht de finish passeerde.
Alpe d'Huez is nu de beroemdste berg in Frankrijk. Het skistation telt nu, na 21 etappeaankomsten van de Tour de France en een wereldwijde gigantische publiciteit, honderden hotels en chalets met in totaal 32.000 bedden. Het is een soort bedevaartsoord voor fietsers geworden. Waar ze hun dromen en fantasieën kunnen uitleven in een voor hen fascinerende wereld.

Robic op de Mont Ventoux, Tour de France 1952.
Hoewel Jean Robic over zijn top heen was, toonde hij in de 14de etappe, van Aix-en-Provence naar Avignon, een staaltje van zijn oude meesterschap. Op de helse Mont Ventoux, die voor de tweede maal in het parcours van de Tour was opgenomen, ontsnapte Robic uit een groep met alle topklimmers en reed alleen naar de finish. Hij werd vijfde in het eindklassement; het zou de laatste Tour zijn die hij uitreed.

Renners proberen op alle mogelijke manieren water te bemachtigen, Tour de France 1952.
De 16de etappe Perpignan-Toulouse werd gekenmerkt door een zinderende hitte.

Kopgroep op de Puy-de-Dôme, 21ste etappe Tour de France 1952.
Van links naar rechts: Raphael Geminiani, Jacques Marinelli, Gilbert Bauvin, Gino Bartali en Jan Nolten. Nolten zou later alleen wegrijden; in het zicht van de haven werd hij alsnog door de uit de achtergrond opgerukte Coppi achterhaald.
De Limburger bleek in zijn eerste Tour een renner die zich in de bergen met de besten kon meten. Hij won de etappe van Sestrières naar Monaco en eindigde als 15de in het eindklassement.

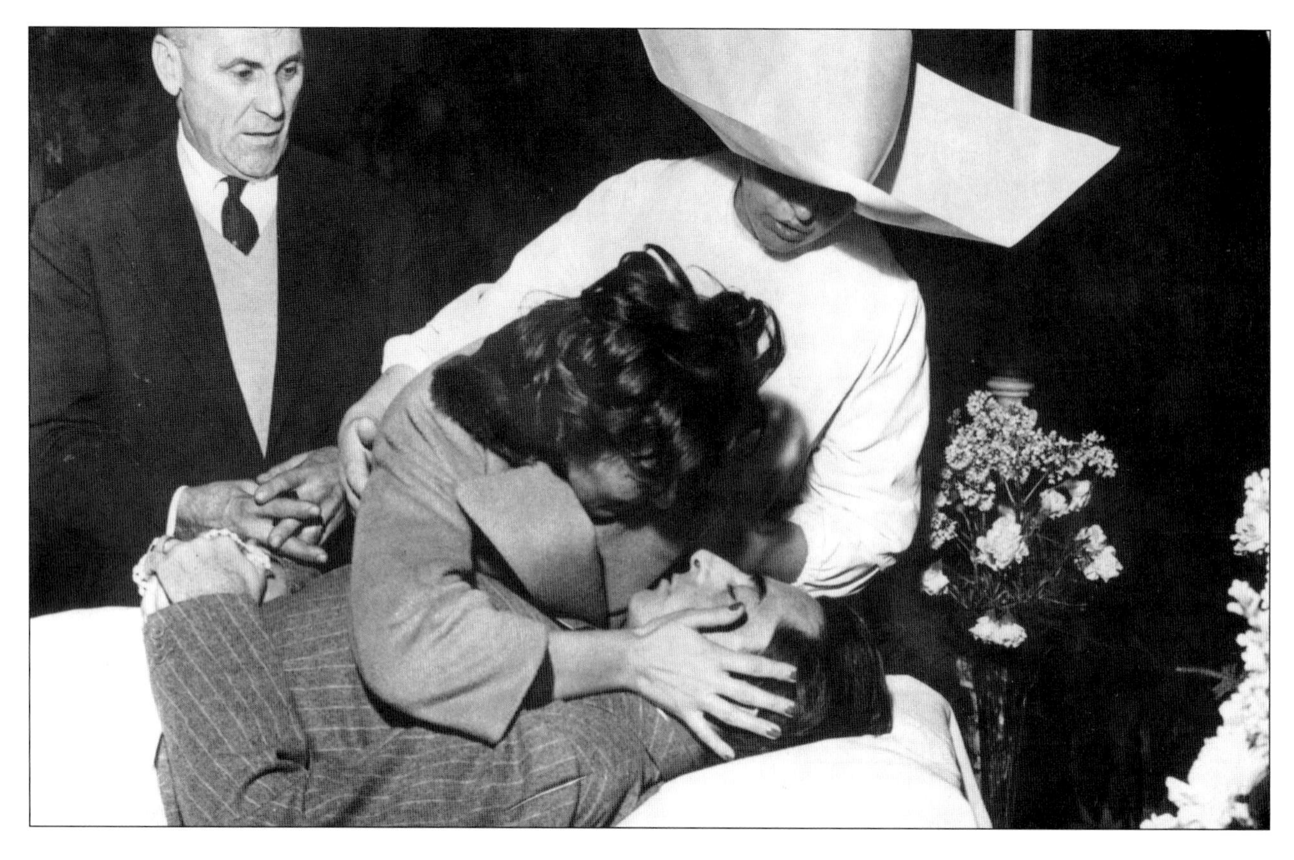

Giulia Occhini aan het sterfbed van Fausto Coppi, 2 januari 1960.
Occhini was getrouwd met dokter Locatelli, een groot wielerfan, en reisde met haar man naar de wedstrijden waaraan Coppi meedeed. Door haar opvallende witte kleding werd zij 'La Dama Bianca' genoemd. Coppi en Occhini werden verliefd; voor elkaar verlieten zij hun echtelijk huis. Dit was in het Italië van die dagen bijna een doodzonde, waarvoor beiden ook daadwerkelijk veroordeeld werden. Occhini verdween zelfs korte tijd achter de tralies. Samen kregen zij een zoon, Faustino. Eind 1959 werd Coppi ziek, waarschijnlijk als gevolg van malaria, opgelopen tijdens een wielertoernee in Afrika. Hij overleed op 40-jarige leeftijd.

Monument voor Fausto Coppi op de Madonna Del Ghisallo.

De Nederlandse ploeg vertrekt naar Parijs voor de Tour de France 1953. *Ploegleider Kees Pellenaars kijkt met zijn vrouw en zoon toe, hoe (bovenste rij van links naar rechts) Wim van Est, Hein van Breenen, Gerrit Voorting, Thijs Roks, (onderste rij van links naar rechts) Adri Suykerbuyk, Wout Wagtmans en Adri Voorting zich opmaken voor wat een bijzonder succesvolle Tour zou worden. Wagtmans won twee etappes en werd vijfde, de beste positie die een Nederlander tot op dat moment in het eindklassement had ingenomen. Verder waren er etappezeges voor Gerrit Voorting, Nolten en Van Est.*

De Fransman Maurice Quentin wint de sprint in Marseille net vóór Gerrit Voorting en Jean Forestier, Tour de France 1953.

Het peloton tijdens de etappe Gap-Briançon, Tour de France 1953.
De cruciale 18de etappe werd gewonnen door Louison Bobet, die de gele trui overnam van Jean Mallejac en deze niet meer zou afstaan. Bobet demarreerde op de Col d'Izoard, waar hij ook in 1954 de basis voor zijn Tourzege zou leggen. 'Geen berg ter wereld is mij zo dierbaar,' verklaarde Bobet later.

Jan Nolten in de klim van de Col d'Izoard, Tour de France 1953.
Nolten excelleerde in de etappe Gap-Briançon, waarin hij achter de ontketende Bobet tweede werd.

Tour de France 1953: Louison Bobet en Wim van Est na de tijdrit Lyon-St. Étienne, waarin zij respectievelijk eerste en tweede werden.
Na vijf eerdere optredens met wisselend succes hadden zelfs zijn supporters de hoop op een Tour-overwinning van Bobet opgegeven. Temeer omdat de bakkerszoon uit Saint-Meën-le-Grand kampte met een chronische zitvlakaandoening en de Giro niet had uitgereden. Juist in de jubileumeditie van de Tour (die zijn vijftigste verjaardag vierde) bleek de toen 28-jarige Bobet als renner volgroeid te zijn.

De Nederlandse ploeg bij de start van de Tour de France 1954 in het Olympisch Stadion, Amsterdam.
In 1954 vond de start van de Tour voor het eerst buiten Frankrijk plaats. Amsterdam was de uitverkoren stad. De eerste etappe voerde naar Brasschaat bij Antwerpen en werd gewonnen door Wout Wagtmans, die ook de gele trui pakte. Wagtmans zou in totaal zeven dagen in het geel rijden. Verder waren er nog Nederlandse dagsuccessen voor Wim van Est en Henk Faanhof.

Renners passeren het Kurhaus in Scheveningen, eerste etappe Tour de France 1954.

Brasschaat, Tour de France 1954.
Wagtmans krijgt na zijn winst in de eerste etappe de gele trui aangereikt door de in die dagen zeer populaire Franse accordeoniste Yvette Horner. Wagtmans zou deze Tour niet uitrijden; Jan Nolten werd met een 14de plaats de best geklasseerde Nederlander. Ook Wim van Est, Gerrit Voorting en Hein van Breenen eindigden bij de eerste 20.

VROUWEN IN DE TOUR NIET GEWENST

De latente bedreiging van de kampioenen

De Tour de France was tachtig lange jaren de meest vrouwonvriendelijke organisatie in Europa. Een nomadengroep van uitsluitend mannen. Verboden voor vrouwen. Een vrouw kreeg geen accreditatie om zich bij de karavaan te voegen. Renners ontvingen nooit bezoek van hun echtgenote of verloofde; het weerzien vond plaats als de Tour in Parijs finishte. Zo ging het generaties lang.

De eersten die het ijzeren Tourgordijn voor vrouwen af en toe doorbraken, waren twee verlichte ex-doktersvrouwen, Janine Anquetil, de hoogblonde echtgenote van Jacques Anquetil, en Giulia Occhini, de ravenzwarte 'Dame Blanche', de 'Dame in 't Wit' van Fausto Coppi. Maar zelfs de 'Dame Blanche' werd eens uit de hotelkamer van Fausto verwijderd door de vermaarde ploegleider Lomme Driessens.

Lomme vond de aanwezigheid van de aantrekkelijke Giulia schadelijk voor de concentratie van Fausto op de koers. En hij leed onder de latente vrees dat Fausto en zijn minnares in een onbewaakt ogenblik ook nog aan seks deden. Dit kon rampzalig zijn voor het klassement.

Want Fausto diende zijn mannelijke kracht achter te laten op de Puy-de-Dôme, de Tourmalet of de Aubisque, en niet bij de Dame Blanche.

Zo dachten alle beroemde ploegleiders erover: Kees Pellenaars, Lomme Driessens, Sylvère Maes, Antonin Magne, Gaston Plaud, Alfredo Binda, Cyrille Guimard en Peter Post.

Vrouwen vormden in hun ogen een gevaar voor de coureurs. Lomme Driessens sloop 's avonds met zijn verzorger Jan van Dinteren langs de kamers van de renners om te controleren of niet iemand voor een amoureus avontuurtje door het venster ontsnapt was.

De eerste vrouw die officieel tot de Tourkaravaan werd toegelaten was de accordeoniste Yvette Horner. Een kleine Parisienne die in de jaren '50 in de reclamekaravaan op een vrachtauto werd gezet en met haar knopaccordeon 'La Vie en rose' speelde.

Na Yvette Horner werd bij hoge uitzondering de Belgische zangeres Annie Cordie in de reclamekaravaan toegelaten. Want de reclamekaravaan doorkruiste toch ruim een uur vóór de renners het land. Dit kon dus niet zoveel kwaad opleveren.

De emancipatie in de ronde kwam pas echt op gang in de jaren tachtig. Het mannenbolwerk begon scheurtjes te vertonen. Er verscheen al eens een enkele vrouwelijke journalist in de perszaal. Maar ze was toch gehandicapt. Hoe kon een dame met haar blocnote en balpen naakte wielrenners onder de douches of in hun hotelkamer interviewen, zoals mannelijke journalisten deden?

Voor een echte doorbraak zorgde de Amerikaanse masseuse Shelley Versus, die met de

SevenElevenploeg in de Tour verscheen. Een vrouw die ontklede renners op een massagetafel masseerde. Lomme Driessens, Gaston Plaud, Antonin Magne, Kees Pellenaars en Peter Post gruwden bij de gedachte aan (on)gewenste intimiteiten.
Maar Shelley Versus zette door, ze deed haar werk en trok zich niets aan van de heersende vooroordelen.
Toen Shelley daarna de vriendin werd van de Australiër Phil Anderson, die voor de ploeg van Peter Post fietste, werd de Amstelveense ploegleider met de aanwezigheid van een vrouw in de hotels geconfronteerd. Op Alpe d'Huez zaten op een dag Phil en Shelley in een hoekje van de ontbijtzaal in een intiem gesprek verwikkeld. En het gezicht van Post, die wat verderop zat, sprak boekdelen.
In 1989 werd Phil Anderson door TVM gecontracteerd en hij eiste - voordat hij zijn contract tekende - dat zijn vriendin Shelley als masseuse in de personele staf van de ploeg zou worden opgenomen. Ploegleider Cees Priem aarzelde, maar ging uiteindelijk door de bocht, zodat een vrouw bij de TVM -ploeg haar intrede deed.
Vrouwen in de Tour. In 1983 won Peter Winnen, dat jaar kandidaat-Tourwinnaar, voor de tweede keer de koninginnenrit op Alpe d'Huez. Yvonne, zijn echtgenote en vrij onbekend met de heersende opvattingen in het wielrennen, bezocht op de rustdag haar Peter op de Alp. De zon scheen vrolijk en Yvonne verpoosde bij een zwembad, waar Peter haar opzocht. Daar werd schande over gesproken. Dat hoorde niet. Een wielrenner had zijn rust nodig. Er verschenen tendentieuze artikelen in de bladen en Yvonne kan er nóg kwaad om worden.
Maar de Tour is totaal veranderd. De emancipatie was niet meer tegen te houden en de laatste jaren werken steeds meer vrouwen in de ronde. Als verpleegsters bij de medische staf, als journalisten, als pr-functionarissen, op het erepodium om de winnaars te kussen en hun de bloemen te overhandigen, in de reclamekaravaan, als liaison in het Tourdorp. Ze zijn overal. En officieel geaccrediteerd.
Eén vrouw promoveerde zelfs tot administratief directeur van de Tour, Agnes Pierret. Een Belgische blondine. Met veel verstand van het metier. Een vrouw als directeur in de Tour! Boven een trits mannen gesteld! Gaston Plaud, Lomme Driessens en Peter Post begrepen er niets meer van.

Bobet geeft het tempo aan in de Pyreneeënetappe Pau-Luchon, Tour de France 1954.
Louison Bobet was in de Tour van 1954 een klasse apart. In de Alpen klom hij zelfs beter dan de Spanjaard Fédérico Bahamontes, die in deze Tour zijn debuut maakte en meteen de bolletjestrui veroverde. Later dat jaar zou Bobet ook wereldkampioen op de weg worden.

De Nederlandse ploeg wint de ploegentijdrit in Dieppe, tweede etappe Tour de France 1955.
Tijdens de Tour van 1954 had een nieuw fenomeen zijn intrede gedaan: de ploegentijdrit. De Zwitsers waren daarin de sterksten gebleken. In 1955 legde de Nederlandse ploeg het 12,5 km lange parcours in Dieppe het snelst af. Als beloning mocht Wout Wagtmans de gele trui aantrekken, die hij twee dagen zou dragen. Daarnaast waren er Nederlandse etappezeges voor Jos Hinsen, Daan de Groot en Wout Wagtmans; en één gele trui voor Wim van Est.

Roubaix, derde etappe Tour de France 1955.
Antonin Rolland na zijn sprintzege op Wout Wagtmans, die wel de gele trui behield. Rolland reed een uitstekende Tour. Behalve zijn succes in Roubaix droeg hij twaalf dagen de gele trui en eindigde hij als vijfde in het algemeen klassement, binnen een kwartier van winnaar Bobet.

Charly Gaul, Antonio Gelabert, Pasquale Fornara en Louison Bobet in een beklimming tijdens de Tour de France 1955.
Bobet pakte de gele trui in de Pyreneeënetappe Toulouse-St. Gaudens, zes dagen voor het einde van de Tour. Hij werd de eerste renner die de Tour driemaal op rij won. Het was tegelijk het laatste glorieuze optreden van Bobet in de Tour. In 1957 werd hij nog 7de, maar in 1959 stapte hij af. In 1961 maakte een auto-ongeluk, waarbij ook zijn broer Jean betrokken was, een einde aan zijn wielercarrière. Bobet werd slechts 58 jaar oud. In 1983 bezweek hij aan een zeldzame aandoening, de 'ziekte van Pompidou', die zijn lichaam deformeerde.

Vijfde etappe Tour de France 1956.
André Darrigade in het geel aan kop van het peloton in St. Lo.

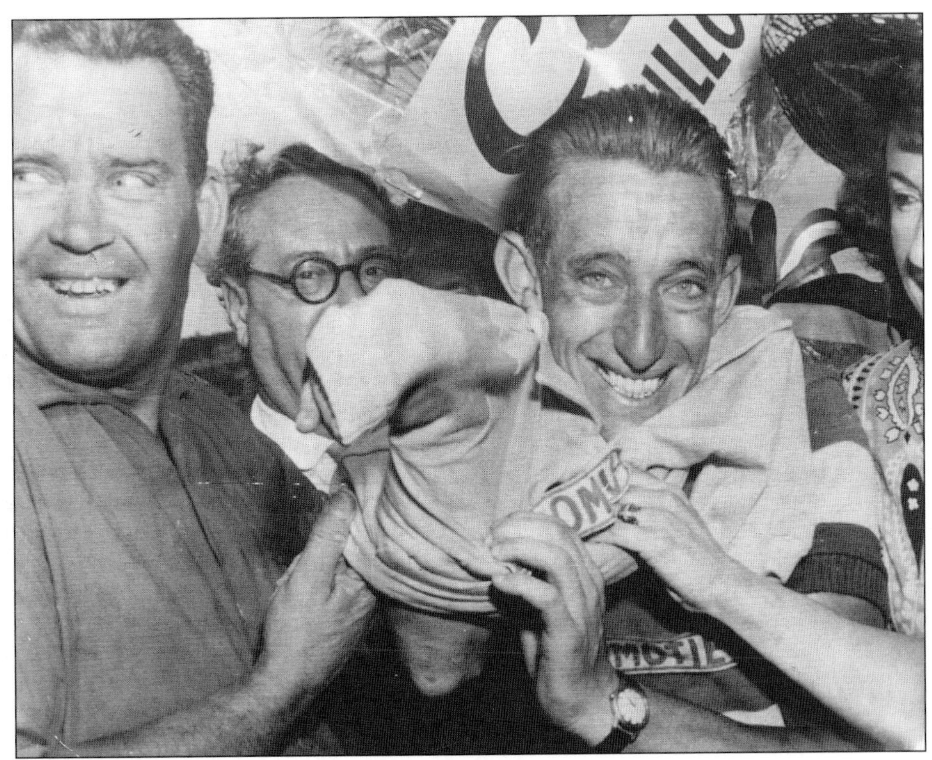

Ploegleider Kees Pellenaars helpt Wout Wagtmans in de gele trui na de etappe Montpellier-Aix-en-Provence, Tour de France 1956.
Hoewel er in 1956 geen Nederlandse etappezeges waren, leek Wagtmans in deze Tour een serieuze gooi naar de eindzege te doen. Zeker nadat hij in de 16de etappe het geel had veroverd. Twee dagen later, in de etappe Turijn-Grenoble, liet Wagtmans zich echter de kaas van het brood eten door Walkowiak. Hij sloot de ronde uiteindelijk af op een vijfde plaats.

Roger Walkowiak voert de forcing vóór Stan Ockers en Fédérico Bahamontes in de etappe Gap-Turijn, Tour de France 1956.
Walkowiak neemt in deze etappe de gele trui over van Wagtmans en wint de Tour. Walkowiak wordt algemeen beschouwd als een van de minst aansprekende Tourwinnaars uit de geschiedenis. In 1956 werd hij pas op het laatste moment opgenomen in de Tourselectie van een Franse regionale ploeg. Zijn overwinning was vooral gebaseerd op het handig meesluipen in de juiste ontsnappingen, op de onderschatting door de grote renners uit die ronde en ook op de extra wilskracht die het uitzicht op de eindzege hem verschafte. Over zijn overwinning schreef Tourdirecteur Goddet: 'Het applaus van de toeschouwers klonk als een klaaglied...' Na zijn wielercarrière werd Walkowiak weer gewoon fabrieksarbeider.

Franse wieleradel in de Tour de France 1957: Forestier, Darrigade en Stablinski.
Jean Forestier nam 10 keer deel aan de Tour en won in totaal 4 etappes. In 1957 reed hij zijn beste Tour; hij eindigde als 4de in de algemene rangschikking. André Darrigade is een van de beste sprinters uit de wielergeschiedenis. Hij startte maar liefst 14 keer in de Tour en was goed voor in totaal 22 etappezeges. Ook droeg hij 16 maal de gele trui. In 1957 boekte hij 3 dagsuccessen. Jean Stablinski won 5 etappes op 12 Tourdeelnames. In 1957 won hij de 13de etappe van Cannes naar Marseille.
Darrigade en Stablinski werden bovendien beiden éénmaal wereldkampioen op de weg.

Etappe Thonon-Briançon, Tour de France 1957.
De passage van de vallei van de Maurienne werd bemoeilijkt door gesteente, achtergelaten door de uit haar oevers getreden rivier. De etappe werd gewonnen door de sterke Italiaan Nencini, winnaar van de Giro van dat jaar. De Tourzege ging echter naar de jonge Fransman Jacques Anquetil, die met zijn ijzersterke tijdritten de basis voor zijn zege legde.

De reclamekaravaan staat klaar voor de start van de Tour de France 1958.

Twee klimfenomenen zij aan zij: Gaul en Bahamontes, Tour de France 1959.
Charly Gaul, de 'engel van het hooggebergte', was op zijn best als hij het in z'n eentje tegen de vijandige elementen kon opnemen. In 1958 won hij de Tour door in een verschrikkelijk noodweer in de Alpen een solo van 120 kilometer te ondernemen. Tussen de bliksemflitsen door reed hij de volledige concurrentie naar huis (in sommige gevallen letterlijk; Anquetil werd met een longontsteking afgevoerd) en maakte een hopeloze achterstand goed. Gaul boekte zijn zege als lid van de Nederlands/Luxemburgse ploeg.
Fédérico Bahamontes, de 'Adelaar van Toledo', liet in zijn eerste Tour in 1954 het hele peloton staan in de beklimming van de Galibier. Op de top at hij een ijsje terwijl hij op de concurrentie wachtte. Toen reed hij met de anderen verder. Dit voorval illustreerde dat het Bahamontes vooral te doen was om de bergprijs, die hij zes keer won (een record dat hij deelt met Lucien van Impe). In de Tour van 1959 nam de sterke Franse ploeg zijn aspiraties op de eindzege te lang niet serieus; met een magnifieke campagne in het Centraal Massief en de Alpen won Bahamontes de Tour.

Een renner glipt voor een naderende trein langs, Tour de France 1959.

Zomers geklede vrouwen bekijken passerende renners nabij St. Amour (!), 20ste etappe Tour de France 1959.
In het peloton zijn onder meer Darrigade, Bahamontes, Gaul en Saint herkenbaar. Deze etappe werd gewonnen door de Brit Brian Robinson.

Fédérico Bahamontes verlaat de ronde al in de beginfase van de Tour de France 1960.
'Moi, il est fatigué. Moi, il veut aller à la maison.' Oftewel: 'Ik ben moe, ik wil naar huis.'

Gastone Nencini in Brussel voor de start van de derde etappe van de Tour de France 1960.
Met zijn tweede plaats achter Roger Rivière in de tijdrit één dag eerder had Nencini de gele trui veroverd. Hij zou de trui in de vierde etappe kwijtraken, maar een week later in Pau heroveren. In Parijs werd de 'Leeuw van Mugello' tot Tourwinnaar gekroond.

Zware valpartij van de Fransman André Foucher in de etappe Limoges-Bordeaux, Tour de France 1960.

Graczyk, Van Est, Beuffeuil en Van Geneugden zijn ontsnapt in de etappe naar Bordeaux, Tour de France 1960. De Belg Martin van Geneugden zal de etappe winnen.

De Fransman Jean Graczyk beleefde in 1960 zijn beste Tour. Hij won vier etappes en werd 13de in het eindklassement. Voor Wim van Est gingen de jaren tellen. Hij speelde in zijn voorlaatste Tour geen rol van betekenis.

PARCOURS VAN DE TOUR DE FRANCE IS GEPLAVEID MET MENSELIJK LEED

Noodlot achtervolgt 'De oude Galliër'

Het parcours van de Tour de France is sinds het begin geplaveid met menselijk leed. In de eerste ronde in 1903 was er nauwelijks 20 kilometer afgelegd, toen de eerste massale valpartij ontstond, waarbij tientallen renners tegen de grond sloegen.

Sommige renners hebben hun roem zelfs aan tegenspoed te danken. Omdat het publiek massaal met hun pech meeleefde. In al die jaren koerste het noodlot altijd mee.

De kampioen van de pechvogels heet Eugène Christophe. Hij werd 'De oude Galliër' genoemd, wegens zijn grote snor en zijn markante hoofd. In 1912 finishte hij - ondanks drie etappezeges in het gebergte - als tweede, verslagen door de Belg Odile Defraye.

Christophe zwoer wraak.

In 1913, in de elfde Tour, zou 'De oude Galliër' terugkeren om iedereen te verpulveren. De kranten in die tijd schreven lovend over zijn 'pouvoir', zijn macht om alle concurrenten zijn achterwiel te laten zien.

In de gevreesde Pyreneeënetappe over de Tourmalet sloeg Christophe toe. Hij passeerde met grote voorsprong de top op 2115 meter en stortte zich in de afdaling. Ditmaal zou niemand hem kunnen beletten zijn naam bij te schrijven in het gouden boek van de Tourwinnaars in Parijs.

Maar, zoals gezegd, het noodlot koerst altijd mee. Drie kilometer na de top van de Tourmalet doemde de beruchte bocht van Broussé op, en daar was een diepe kuil in het wegdek. Christophe zag de put te laat en brak de vork van zijn fiets.

Het reglement in die dagen verbood hulp van derden. Renners waren verplicht de schade aan hun rijwiel zelf te herstellen.

Eugène Christophe nam zijn fiets over de schouder en legde te voet 13 kilometer af naar het dorpje Sainte-Marie-de-Campan. Daar was een smidse en de smid Bayles stond de ongelukkige Christophe toe zijn gebroken vork te repareren. Drie commissarissen keken toe of de renner de reparatie zelf uitvoerde.

Het duurde enkele uren eer Christophe zijn weg kon vervolgen. Hij werd kansloos voor de eindzege, maar zijn naam lag op ieders lippen.

In 1919, na de Eerste Wereldoorlog, waagde Christophe, bij zijn zevende start, opnieuw een poging de Tour op zijn naam te schrijven.

Bij de start van de elfde etappe in Grenoble vond een historische gebeurtenis plaats. Christophe had in Les Sables d'Olonne de leiding in het algemeen klassement veroverd en verdedigde deze positie al zeven dagen met groot gemak. In Grenoble ontving Christophe de eerste gele trui in de geschiedenis. Journalisten hadden er bij Tourdirecteur Henri Desgrange op aangedrongen dat de leider in de wedstrijd herkenbaar moest zijn. Aangezien het organiserende blad *l'Auto* in die dagen op

PARCOURS VAN DE TOUR DE FRANCE IS GEPLAVEID MET MENSELIJK LEED

geel papier werd gedrukt, werd de succesvolste renner in de ronde dus in de gele trui gehuld.
Op twee dagen voor Parijs fietste Christophe nog altijd in het geel. Maar in het noorden van Frankrijk sloeg het noodlot weer toe. In de omgeving van Valenciennes brak Christophe voor de tweede keer in zijn loopbaan de vork van zijn fiets. Hij verloor drie uur en de ronde.
In 1922, drie jaar later, toen Christophe weer de gele trui droeg, zakte hij in de afdaling van de Galibier in de omgeving van Valloire, voor de derde keer door zijn fiets. Onder de toeschouwers bevond zich een pastoor die spontaan zijn zware rijwiel aan Christophe afstond, waardoor 'De oude Galliër' als achtste de finish in Parijs bereikte.
De 'kampioen van het ongeluk' komt dus niet voor in het gouden boek, maar zonder het noodlot had hij minstens drie keer de ronde gewonnen.
Christophe was er niet minder populair om. Tot kort voor zijn dood - hij stierf in februari 1970 op 85-jarige leeftijd in Parijs - vertelde Christophe op vele sportavonden over zijn belevenissen. En zijn fans bleken tot het einde toe onverzadigbaar.

Rivière gevallen in de afdaling van de Col de Perjuret, 14de etappe Tour de France 1960.
Roger Rivière had in zijn tweede Tour al drie etappes gewonnen en stond in het klassement vlak achter Nencini, drager van de gele trui. Daarmee was Rivière favoriet voor de eindzege; hij was op dat moment de beste tijdrijder van de wereld, en er stond in de Tour nog een lange tijdrit op het programma. In de afdaling van de Col de Perjuret, aan het slot van de etappe Toulouse-Millau, ging het mis. In een poging de uitstekende daler Nencini te volgen vloog Rivière uit de bocht en brak zijn rug. Zijn wielercarrière was voorbij. Ook daarna bleef Rivière weinig bespaard; na een aantal zakelijke mislukkingen stierf hij op 40-jarige leeftijd aan kanker.

Van Anquetil tot Merckx

1961-1977

Schoolkinderen in Allarmont zijn uitgelopen voor de zevende etappe van de Tour de France 1961.

Charly Gaul rijdt op de Col du Granier weg van het door Piet van Est aangevoerde peloton; etappe St. Étienne-Grenoble, Tour de France 1961.
Gaul boekte in de 10de etappe van de Tour 1961 zijn laatste dagsucces in La Grande Boucle. Hoewel hij het Anquetil in deze Tour bijzonder moeilijk maakte en in Parijs met een derde plaats het podium haalde, was het verval in Gauls carrière ingetreden. Ook in zijn privé-leven trouwens. Tweemaal liep zijn huwelijk stuk en de ooit zo populaire Gaul werd mensenschuw. Als kluizenaar zwierf hij door de bossen. Pas de laatste jaren is hij langzaam maar zeker uit zijn isolement getreden.

Groen en geel in Toulouse,
Tour de France 1961.
André Darrigade inspecteert de fiets van Jacques Anquetil voor de start van de Pyreneeën-etappe Toulouse-Superbagnères.

Jacques Anquetil achterhaalt Charly Gaul in de tijdrit Bergerac-Perigueux, Tour de France 1961.
De tweede Tour-overwinning van Anquetil is een feit; het tijdperk Anquetil is definitief aangebroken.
Als tijdrijder was 'Monsieur Chrono' onovertroffen; al op jonge leeftijd won hij de Grote Landenprijs en verbeterde hij het werelduurrecord. In de Tour consolideerde hij in de bergen de winst die hij in de tijdritten pakte. Daardoor had zijn manier van koersen vaak iets berekenends.

In 1930 nam Henri Desgrange, de stichter van de Tour de France, een ingrijpende beslissing. Voor het eerst zou de Tour met landenploegen verreden worden, hetgeen de nationale sentimenten naar ijle hoogten zou doen stijgen.
Een ijzersterke Franse nationale ploeg verscheen aan de start, met als kopman de legendarische André Leducq uit Saint-Quen. Een intelligente en charmante jongeman, die wegens zijn knappe uiterlijk vooral geliefd was bij de vrouwen. In de klassieke etappe in de Pyreneeën van Pau naar Luchon veroverde Leducq de gele trui. Niets leek zijn triomftocht naar Parijs nog in de weg te staan. Maar in de afdaling van de beruchte Galibier in de Alpen kwam Leducq zwaar ten val. Hij sloeg op het gevaarlijke wegdek, dat toen nog uit zwarte, losse aarde bestond, twee keer tegen de grond.
Bij zijn tweede val raakte hij gewond en wilde opgeven. Totaal ontredderd zat Leducq als een brok wanhoop bloedend aan de kant van de weg. De foto van de huilende Leducq inspireerde de beroemde Duitse beeldhouwer Arno Brecker tot het vervaardigen van een groot, bronzen beeld.
Leducq werd die dag op de Galibier door zijn ploegmaats overeind geholpen en in een formidabele jacht terug naar de kopgroep gereden. Hij won ten slotte de ronde. En Tout Parijs lag aan zijn voeten.
André Leducq werd een gefortuneerde man, die zich – en dat was heel bijzonder in die tijd – in een privé-vliegtuig verplaatste. In oktober 1966 werd Leducq door president generaal Charles de Gaulle benoemd tot 'Ridder in het Legioen van Eer'.
Bij deze gelegenheid wilde Leducq voor de zoveelste keer het beeld van Arno Brecker kopen. Maar de Duitse kunstenaar weigerde pertinent. Het beeld was niet te koop. Zodat Leducq met zijn markante hoofd nog altijd ergens in Duitsland een tuin siert. De kampioenen van de Tour de France hebben door de jaren heen kunstenaars en supporters geïnspireerd tot het vervaardigen van monumenten, schilderijen, beelden en plaquettes. Straten en pleinen werden naar hen vernoemd, kapelletjes werden gebouwd: sporen in het landschap.
Het eerste monument werd opgericht op de Ballon d'Alsace in de Vogezen ter herinnering aan de jonge Fransman René Pottier, de eerste bergkoning. In 1905 werd de Ballon d'Alsace als eerste berg ooit in de ronde beklommen. Pottier bereikte als eerste de top op 1176 meter, maar moest de strijd staken omdat hij volledig uitgeput was.
Een jaar later keerde Pottier terug in de Tour. Hij fietste veel evenwichtiger en groeide in de bergen opnieuw uit tot de beste klimmer. Zijn overwicht was zo groot dat hij in de etappe van Grenoble naar Nice met een uur voorsprong een café binnenstapte, een fles wijn bestelde en die in z'n eentje naar binnen goot.
Op het moment dat zijn eerste concurrenten het café passeerden, klom Pottier weer op zijn fiets om in Nice de etappe te winnen.
Lang zou René Pottier niet van zijn Tourzege genieten. Hij hing zich op, omdat de vrouw die hij liefhad een ander verkoos. Voordat hij zelfmoord pleegde, had Pottier zijn medailles en erelinten keurig naast zich gerangschikt. Hij werd 27 jaar. Een jaar na zijn dood richtten zijn supporters het monument voor hem op, natuurlijk op de Ballon d'Alsace, de berg waarop hij naam maakte.
Bijna 100 jaar wielrennen heeft Europa, en zeker het 'moederland' Frankrijk, vele monumenten opgeleverd. In een dorpje bij Verdun siert een koperen plaquette de muur van een huisje. De plaquette is de herinnering aan François Faber, de eerste buitenlander die in 1909 de Tour won.

In 1914, bij het uitbreken van de Eerste Wereldoorlog, nam Faber dienst in het Franse 'Legion Étrangère', het legioen van de buitenlanders.
Tijdens het offensief van Garency verliet Faber zijn loopgraaf om een gewonde kameraad in veiligheid te brengen; toen trof een Duitse kogel hem in zijn hoofd. Hij werd slechts 28 jaar.
De verering voor de eveneens vroeg gestorven Italiaanse kampioen Fausto Coppi kent bijna geen grenzen. De tweevoudige Tourwinnaar (1949, 1952) overleed in de ochtenduren van de 2de januari 1960 in het ziekenhuis van Tortona. Hij had malaria opgelopen en Coppi werd, volgens zijn echtgenote, met verkeerde medicijnen behandeld.
Zijn begrafenis werd bijgewoond door 10.000 fans, en zijn graf in het gehucht Catellania is inmiddels een pelgrimsoord geworden. Jaarlijks bezoeken tienduizenden 'Tifosi' de graftombe, waar Franse supporters aarde van de Col d'Izoard waarop Coppi excelleerde, hebben neergelegd. Bij het graf van Coppi is een kapel gebouwd, waarin zijn tricots en trofeeën hangen, waaronder de gele trui uit de Tour.
Er zijn Coppi-gedenktekens op de Colle Ghisallo, de passo Pordoi, de Capo Berta, op de Izoard en in Turijn. Er is een Coppi-bar in New York. Zijn beeltenis is geschilderd op de muur in een restaurant aan de Piazza Cesare Beccaria in Milaan.
België heeft ook ruim zijn deel in wielermonumenten. De Antwerpenaar Stanneke Ockers, tweede in de Tour van 1950 achter Ferdi Kübler en tweede in 1952 achter Fausto Coppi, viel in het sportpaleis van Antwerpen in 1956 met zijn hoofd op de betonnen baan en stierf. Twintigduizend treurende Belgen begeleidden Stan naar zijn laatste rustplaats. Op de helling Les Forges in de Ardennen werd in 1957 een monument voor hem opgericht. Stan zit daar, uit steen gehouwen, op zijn fiets.
Op een andere Ardenner helling, de befaamde Stockeu, staat het grote standbeeld van de vijfvoudige Tourwinnaar Eddy Merckx, die deze eer dus al bij leven ten deel viel. In Tielt is een monument gebouwd ter ere van de 'Laatste Flandrien' Briek Schotte, in 1948 tweede in de Tour achter Gino Bartali.
Het monument voor drievoudig Tourwinnaar Louison Bobet staat op de Col d'Izoard. Louison stief op 13 maart 1983 in de badplaats Biarritz op 58-jarige leeftijd. Hij vloog ook, net als Leducq, in een eigen vliegtuig naar Parijs om er bijvoorbeeld de première van een toneelstuk bij te wonen. Hij had zijn eigen gezondheidsinstituut met Thalassotherapie, oftewel modderbaden. Hij behoorde ook tot de directie van de hotelketen Sofitel.
Na zijn dood werden in Biarritz, Fontenay-sous-Bois, het Spaanse Mijas en in zijn geboortedorp Saint-Meën-le-Grand straten naar hem genoemd. In Saint-Meën is ook een museum Bobet, ingericht in de voormalige bakkerij van zijn vader.
Jacques Anquetil, vijfvoudig Tourwinnaar, wordt geëerd via een kapelletje op de helling Les Treize Tournants in de vallei van Chevreuse. Bij de start van de Tour in 1997 in Rouen werd daar de Quai Jacques Anquetil ten doop gehouden. In Rouen is ook een standbeeld van Anquetil onthuld. 'Maître Jacques' stierf op 18 november 1987, 53 jaar oud, aan maagkanker.
Voor de Tourdoden Tom Simpson en Fabio Casartelli zijn gedenktekens opgericht op de Mont Ventoux en in de afdaling van de Portet d'Aspet.
In Yffiniac in Bretagne is in het gemeentehuis een permanente tentoonstelling ingericht, gewijd aan de carrière van de vijfvoudige Tourwinnaar Bernard Hinault. In de hal van het gemeentehuis staat een wit, uit marmer ge-

houwen borstbeeld van Hinault, zijn gele truien hangen aan de muur en zijn fietsen zijn er te bewonderen. 'De Das' zoals Hinault genoemd werd, is in 1986 gestopt. Hij heeft zich als herenboer op het Bretonse platteland teruggetrokken. Eén keer per jaar is hij tijdens de Tour nog te zien als chef protocol op het erepodium.

Voor de in december 2000 overleden Gino Bartali, tweevoudig Tourwinnaar, is in Florence een museum opgericht. Daarin zijn al zijn trofeeën, zijn fietsen en zijn gele truien uit de Tour tentoongesteld.

Een prominente dode wordt blijvend herdacht in het Portugese stadje Pontes Vedras. Toen Joaquim Agostinho, eind jaren zeventig twee keer op het Tourpodium in Parijs, op maandag 30 april 1984 in de Algarve zijn fatale val maakte, rouwden miljoenen Portugese fans. 'Ago' was de beste Portugese wielrenner ooit. Een volksheld, wiens grote droom het was een eigen boerderijtje met vee te kopen. Om geld voor het boerderijtje te sparen reed Agostinho naar de criteriums in Europa en sliep dan onder een deken in zijn auto, zodat hij geen hotel hoefde te betalen. Maar het noodlot achterhaalde hem. En nu staat 'Ago' levensecht uitgebeeld in Pontes Vedras aan de westkust van Portugal als een bonk wilskracht op de pedalen van zijn fiets op een hoge sokkel en kijkt neer op zijn omgeving. Sporen in het landschap.

De Italiaan Mario Minieri wint de etappe in Luchon voor Benedetti en Graczyk, Tour de France 1962. *In deze etappe raakte Ab Geldermans de gele trui die hij twee dagen had gedragen, kwijt aan André Darrigade. Geldermans reed als knecht van Anquetil een uitstekende Tour. In het eindklassement werd hij vijfde.*

Rudi Altig ontvangt een onderscheiding van de Duitse minister van Binnenlandse Zaken Lücke na het behalen van zijn wereldtitel op de weg in 1966.
Tot en met de jaren vijftig hadden Duitse renners zelden een rol van betekenis gespeeld in de Tour. Rudi Altig veranderde dat. De oersterke Duitser, die ooit Anquetil tot wanhoop bracht in de koppelkoers Trofeo Baracchi, behaalde in de Tour van 1962 drie etappezeges, droeg vier dagen de gele trui en werd in Parijs gehuld in de groene trui als winnaar van het puntenklassement voor de regelmatigste renner.

Ereronde van de eerste drie in de Tour de France 1962: Jacques Anquetil, Jef Planckaert en Raymond Poulidor.
Anquetils overwinning kwam aanzienlijk moeizamer tot stand dan die van het jaar daarvoor. Pas twee dagen voor het einde pakte hij de gele trui, uiteraard in een tijdrit. Een van Anquetils belagers was het jonge Franse talent Poulidor; deze won in zijn eerste Tour de bergetappe Briançon-Aix-les-Bains en behaalde de derde plaats in het eindklassement.

Rik van Looy schudt Jacques Anquetil de hand voor aanvang van de Tour de France 1963.
De Belgische wielerkeizer Rik van Looy was meer een man voor ééndaagse wedstrijden dan voor de grote ronden. Zo won hij vele klassiekers en werd tweemaal wereldkampioen. In 1963 beleefde hij zijn beste Tour. Hij won vier etappes, werd tiende in het eindklassement en veroverde de groene trui. De laatste etappe naar Parijs won hij voor zijn landgenoot Benoni Beheyt; een paar maanden later zou de volgorde worden omgedraaid in een tumultueuze ontknoping van het wereldkampioenschap op de weg in Ronse.

Fernando Manzaneque tussen de sneeuwmuren op de Col d'Iseran (2770 m) op weg naar de overwinning in de etappe Grenoble-Val d'Isère, Tour de France 1963.
De Spaanse klimmer, die acht keer deelnam aan de Tour en in totaal drie etappes won, eindigde in deze ronde als twaalfde.

Jacques Anquetil wint de tijdrit Arbois-Besançon.
Met deze overwinning stelde hij zijn zege in de Tour de France van 1963 veilig.

Jacques Anquetil kust zijn vrouw Janine na zijn Tourzege in 1963.
Nooit eerder had een renner vier Tours gewonnen. Anquetil kon ongenadig afzien, maar was tegelijkertijd een levensgenieter die ook in het wedstrijdseizoen de wijn en champagne rijkelijk kon laten vloeien. Legendarisch is zijn overwinning in Bordeaux-Parijs (600 km!) binnen enkele uren na het winnen van de Dauphiné Liberé. Anquetil zou zich na zijn wielercarrière in verschillende amoureuze avonturen storten. Hij liet zich scheiden van Janine.

Jacques Anquetil als herenboer in La Neuville-Champ d'Oisel, Normandië.
Anquetil overleed op 18 november 1987 aan maagkanker. Vanaf zijn sterfbed telefoneerde hij nog met een aantal oud-collega's, onder wie Joop Zoetemelk, om afscheid te nemen.

Renners passeren een metaalfabriek onderweg naar Metz vanuit het Belgische Vorst, 5de etappe Tour de France 1964.
Rudi Altig zou de etappe winnen voor de Nederlanders Henk Nijdam en Jan Janssen.

Het peloton tijdens de etappe Andorra-Toulouse, Tour de France 1964.
Anquetil geeft het tempo aan voor onder meer Manzaneque, Janssen, Anglade, Foucher en Otano. De Belg Ward Sels zou de etappe winnen. Opvallend was in deze ronde de opkomst van Jan Janssen, die twee etappes won en de groene trui pakte. Later dat jaar zou Janssen in Sallanches ook de wereldtitel winnen.

Raymond Poulidor wint de etappe Toulouse-Luchon, Tour de France 1964.
Dit was één van de in totaal zeven etappezeges van de populaire renner uit Limoges. Op veertien deelnames aan de Tour haalde Poulidor maar liefst acht keer het podium, tot op de dag van vandaag een absoluut record. Toch droeg hij nooit de gele trui. Mede daardoor groeide hij uit tot de nationale underdog van Frankrijk, wat hem overigens niet minder geliefd maakte. Poulidor is de schoonvader van Adrie van der Poel, die met zijn dochter Corinne trouwde.

Jacques Anquetil en Raymond Poulidor op de Puy-de-Dôme, Tour de France 1964.
Nooit kwam de inmiddels in Frankrijk mateloos populaire Poulidor dichter bij de Tourzege dan in 1964. In de 22ste etappe, van Brive naar de Puy-de-Dôme, bracht 'Poupou' klassementsleider Anquetil aan de rand van de afgrond. Zijn aanval kwam net te laat; Anquetil hield op de streep 14 seconden voorsprong over. In Parijs was het verschil uiteindelijk 55 seconden; Anquetil won zijn vijfde Tour.

Kardinaal Frings zegent de deelnemers aan de Tour de France 1965 voor de Dom van Keulen.
In 1965 startte de Tour voor het eerst in Duitsland.

Kees Pellenaars assisteert bij de herstelwerkzaamheden aan de fiets van Cees van Espen die in een sloot is gereden, Tour de France 1965.
In Châteaulin zou Van Espen de zesde etappe van deze ronde winnen. Parijs zou hij echter niet halen.

Jacques Goddet feliciteert Jan Janssen met zijn winst in de etappe Barcelona-Perpignan, Tour de France 1965.
In deze Tour prolongeerde de man uit Nootdorp zijn groene trui; bovendien was zijn 9de plaats in de eindrangschikking een eerste indicatie dat Janssen zich tot een klassementsrenner van formaat ontwikkelde.

Het podium van de Tour de France 1965 in Parijs: winnaar Felice Gimondi wordt geflankeerd door Raymond Poulidor (2de, links) en Gianni Motta (3de).
Gimondi was een renner die alle onderdelen van het wielermetier beheerste. Hij schreef alledrie de grote ronden op zijn naam en boekte zes overwinningen in de klassiekers. Hij had de pech dat halverwege zijn carrière het fenomeen Eddy Merckx zijn pad kruiste.

Rennersstaking in de etappe Royan-Bordeaux, Tour de France 1966. Op de voorste rij zijn Otano, Anquetil, Genet en Wolfshohl herkenbaar.
In deze etappe stapten de renners af en stonden enige tijd stil uit protest tegen de dopingcontroles in de ronde. Het was de eerste massale manifestatie van rennersprotest uit de Tourhistorie.

Jo de Roo en Jos van der Vleuten zoeken verkoeling, Tour de France 1966.

De Roo was een geducht coureur in eendaagse wedstrijden; de Zeeuw won o.a. de Ronde van Vlaanderen en de Ronde van Lombardije. In deze Tour won hij de 15de etappe.

Cees Haast zet dóór ondanks een hoofdwond, 18de etappe Tour de France 1966.

Haast maakte deel uit van een succesvolle Nederlandse afvaardiging, waarin bijvoorbeeld Gerben Karstens twee etappes won.

Jan Janssen en Lucien Aimar, hoofdrolspelers in de Tour de France 1966.
Janssen pakte in de door het Spaanse klimfenomeen Julio Jimenez gewonnen etappe Bourg d'Oisans-Briançon de gele trui. Eén dag later ontsnapte de Fransman Lucien Aimar in de etappe naar Turijn. Hij werd geholpen door een gelegenheidscombine waar zelfs de officiële Tourradio aan meedeed: lange tijd verzweeg men dat Aimar deel uitmaakte van de kopgroep. Mede daardoor reageerde Janssen te laat. Aimar pakte het geel en won de Tour met een goede minuut voorsprong op Janssen.

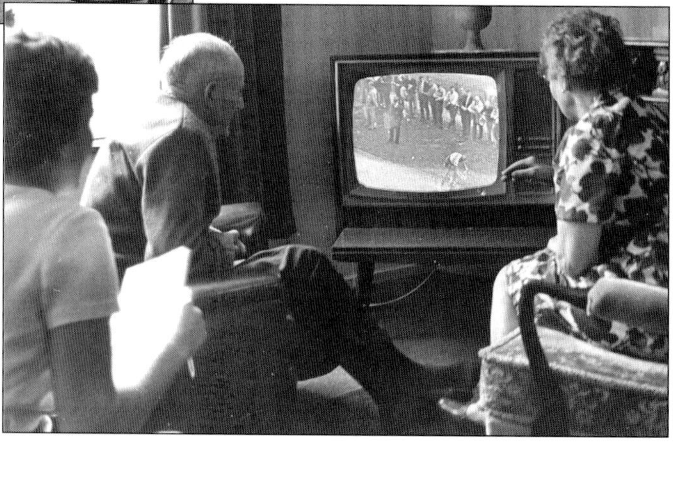

De ouders van Jan Janssen volgen via de televisie de verrichtingen van hun zoon in de laatste tijdrit van de Tour de France 1966.
Janssen kon in de tijdrit het verloren terrein niet meer goedmaken op Aimar. Desondanks stond voor het eerst stond een Nederlander op het podium in Parijs.

Toen alles nog koek en ei was.
Daags voor het begin van de Tour de France van 1967 worden (oud-)renners en directieleden tot 'ridders van het wijnvat' geslagen. Van links naar rechts Kübler, Lévitan, Raymond, Aimar, Goddet, Jimenez, Simpson, Gimondi en een lid van de broederschap.

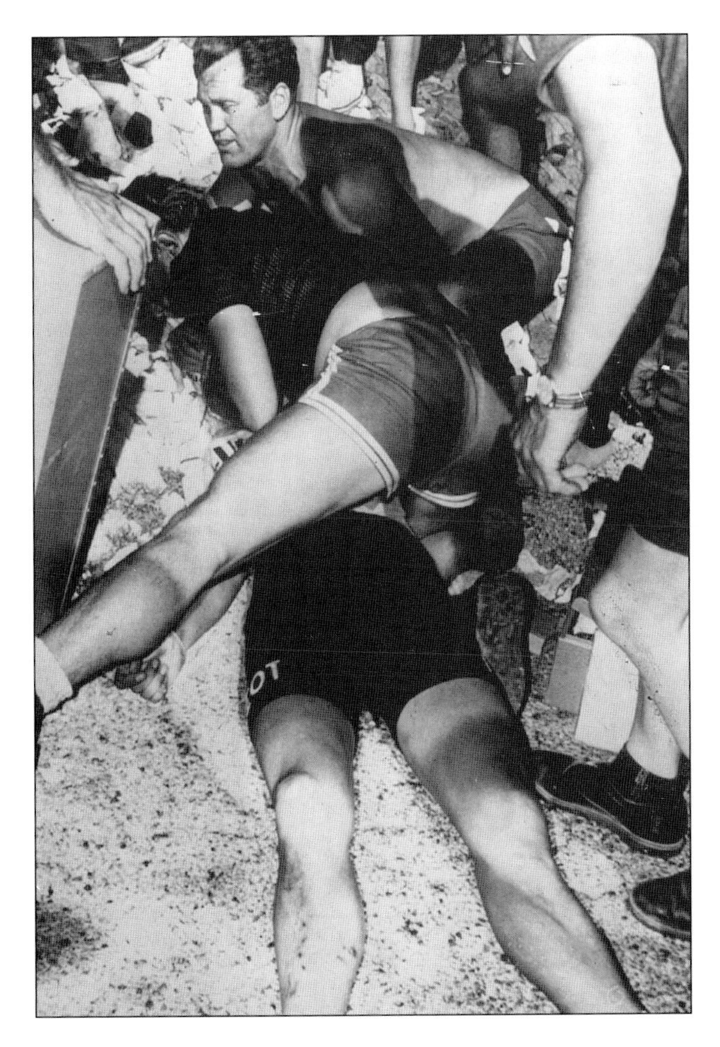

Tom Simpson wordt tevergeefs gereanimeerd op de Mont Ventoux, Tour de France 1967.
Simpson was een befaamd renner, die vooral in eendagswedstrijden excelleerde. In de Tour van 1962 had hij al eens de gele trui gedragen en was hij als zesde geëindigd. In 1966 was hij wereldkampioen op de weg geworden. In 1967 bezweek hij tijdens de beklimming van de Ventoux, in de etappe van Marseille naar Carpentras, aan een combinatie van hitte, uitputting, alcohol en amfetamines. Drie kilometer onder de top viel Simpson van zijn fiets. 'Put me on my bike', prevelde hij nog; 300 meter verder stortte hij definitief ter aarde.

TOM SIMPSON EN FABIO CASARTELLI: PIJNLIJKE HERINNERINGEN

Een glinsterende steenmassa, gevaarlijk voor de mens die er zich buitensporig op gedraagt

Het is juli 1997 en bloedwarm in de Provence. Een Engelse vrouw van 34 klimt op haar racefiets tegen de flanken van de Mont Ventoux. Ze heet Joanne Simpson en voor haar is dit een bedevaart. De zon staat hoog aan de hemel en door de hitte is het asfalt zacht en kwetsbaar. Ze heeft zichzelf gezworen de top te halen als een hommage aan haar vroeg gestorven vader Tom. Ze was nog maar vier jaar toen hij op de 13de juli 1967 stierf en een vage herinnering achterliet. 'Daddy is op een lange reis, we zien hem niet gauw meer,' zei ze als peuter.

Drie kilometer onder de top passeert ze het gedenkteken voor haar vader. Een ronde, witte plaat met inscriptie. Aan de voet van het monument liggen petjes, drinkbussen, een wiel en een band. Achtergelaten door fietstoeristen. Op de plek waar de beste wielrenner van Engeland ooit - Tom Simpson - dood van zijn fiets viel.

's Avonds zit ze in Mazan op een terrasje. De terrassen en hotelletjes in de streek zijn overvol. De dood van haar vader is een zegen voor de streek. Tom Simpson is het beroemdste sterfgeval in de Tour de France.

En van overal in Europa tot uit Scandinavië komen bussen met fietstoeristen naar de Ventoux om de berg te overleven, waarna hun op de top in een houten keetje een diploma wordt uitgereikt.

Een zegen voor de streek, maar het grote drama in het leven van Joanne. Hét drama ook voor het wielrennen op de weg, en een waarschuwing van de natuur, waardoor de dopingcontroles in een stroomversnelling raakten. Want Tom Simpson stierf volgens deskundigen aan een combinatie van grote hitte, zuurstofgebrek, alcohol en medicamenten. De Ventoux is wel eens omschreven als 'de weg naar de hel'. In de winter haalt de stormwind snelheden tot boven 200 kilometer per uur. Er leven grote mieren en er groeien zeldzame planten. De glinsterende steenmassa in de Provence blijft evenwel gevaarlijk voor de mens, als hij er zich buitensporig op gedraagt.

28 jaar na Tommy Simpson stierf een Italiaan in de Tour. Een Olympische kampioen (Barcelona, 1992) nog wel. Fabio Casartelli liet zijn jonge weduwe Annalisa en zoontje Marco achter.

Casartelli had geen kans op overleven toen hij op de 18de juli 1995 in de afdaling van de Portet d'Aspet in de Pyreneeën met grote snelheid in een bocht met zijn hoofd een betonnen paaltje raakte.

Zijn dood was live op de televisie; miljoenen kijkers zagen zijn bloed in een dun straaltje over het wegdek lopen. Een afschuwelijk drama, dat de sportwereld schokte.

In het najaar van 1995 werd op de plek van het onheil ook voor Casartelli een monument onthuld ter nagedachtenis aan de ongelukkige Italiaan.

Van alle sinds 1903 gestarte renners hebben Simpson en Casartelli de meest tragische geschiedenis geschreven.

Vier doden (1910 Heliere, 1935 Cepeda, 1967 Simpson, 1995 Casartelli) op 4800 deelnemers in 87 ronden is in relatieve zin weinig, gezien de gevaren die bijna om elke hoek loeren. Maar ze laten pijnlijke herinneringen achter.

Het peloton rouwt om Tom Simpson, Tour de France 1967.
Tweede van rechts Simpsons boezemvriend Barry Hoban, die de dag na de dood van de Brit de etappe naar Sète mocht winnen. Hij trouwde later met Simpsons weduwe Helen.

Roger Pingeon trekt de gele trui aan, Tour de France 1967.
De bescheiden Pingeon kwam onverwacht in het geel door zijn winst in de 6de etappe Roubaix-Jambes na een door Rik van Looy opgezette ontsnapping. Pingeon vergaarde hierbij zo'n grote voorsprong dat hij de trui tot het einde toe vast kon houden, zeker toen Poulidor in de bergen zijn eigen kansen opofferde om Pingeon te helpen. Pingeon zelf was nog het meest verbaasd over zijn winst in Parijs.

Herman van Springel eet een hotdog na afloop van de etappe Vorst-Roubaix, Tour de France 1968.
De Belg acteerde in deze Tour bijzonder sterk en reed tot aan de laatste dag in het geel.

Jan Janssen zegeviert in de tijdrit in Parijs en wint de Tour de France zonder ook maar één dag in het geel te hebben gereden.
Janssen had slechts één keer eerder in zijn leven een tijdrit gewonnen, maar overtrof zichzelf op het juiste moment. Een bewijs van wilskracht en karakter van de man uit Nootdorp, die zichzelf tot het uiterste kon pijnigen. Het uiteindelijke verschil met Van Springel was ongekend klein: 54 seconden. Janssen, die het grootste deel van zijn carrière voor Franse ploegen had gereden, behaalde zijn overwinning als lid van de nationale Nederlandse ploeg.

Een huilende Jan Janssen op de schouders van zijn fans na zijn overwinning, Tour de France 1968.

Jan Janssen met dochter Karin.

Jan Janssen wordt na zijn Tourzege gehuldigd in zijn woonplaats Putte.

In 1973 beëindigt Jan Janssen na de Ronde van Kortenhoef zijn loopbaan.
Na zijn wielercarrière startte Janssen een eigen fietsfabriek, die later door zijn twee zoons werd overgenomen.

Jacques Anquetil in zijn nadagen naast het aanstormende talent Eddy Merckx.

De tweede etappe van de Tour de France 1969 voerde over de beruchte Muur van Geraardsbergen. Eddy Merckx en Roger de Vlaeminck voeren het peloton aan.
Eddy Merckx maakte een overdonderend debuut in de Tour. Hij won zes etappes en had in het eindklassement bijna achttien minuten voorsprong op nummer twee Roger Pingeon.

Merckx ontvangt de zegen van een priester in Revel voor de 18de etappe, Tour de France 1969.

Een grote stap voor het wielrennen: Eddy Merckx wordt gehuldigd als winnaar van de Tour de France 1969 op de dag dat Neil Armstrong als eerste mens voet op de maan zet.
Eddy Merckx was misschien wel de meest complete wielrenner aller tijden. Zowel als klimmer, daler, tijdrijder en sprinter behoorde hij tot de besten. Hij beschikte over een uitstekend koersinzicht en had bovenal een grenzeloze wil om te winnen, wat hem de bijnaam 'de Kannibaal' opleverde.

Roger de Vlaeminck wint de etappe Amiens-Valenciennes, Tour de France 1970.
Het was zijn enige etappezege in de ronde, waaraan hij drie keer deelnam zonder ooit Parijs te halen. In de Ronde van Italië daarentegen rendeerde De Vlaeminck met een vierde en een zevende plaats in het eindklassement en liefst 22 gewonnen etappes uitstekend. De Vlaeminck was op zijn best in de klassiekers; de bijnaam 'Monsieur Paris-Roubaix' dankte hij aan zijn vier overwinningen in de Hel van het Noorden.

Eddy Merckx kijkt zijn fiets na voor de 15de etappe Carpentras-Montpellier, Tour de France 1970.
De overmacht van de Belg was deze keer zo mogelijk nog groter dan bij zijn debuut. Merckx reed vrijwel de gehele Tour in de gele trui en won maar liefst acht etappes.

Rini Wagtmans wint de etappe naar Montpellier, Tour de France 1970.
De Nederlandse meesterknecht van Merckx, die bekendstond als de beste daler uit het peloton, had een jaar eerder zijn debuut gemaakt met een zesde plaats in het eindklassement. In 1970 eindigde hij nog een plaats hoger.

De twee hoofdrolspelers uit de Tour de France 1970, Eddy Merckx en Joop Zoetemelk.
Hoewel de bekende sportarts Rolink Zoetemelk voorspelde dat hij een laatbloeier zou zijn, eindigde de Nederlander in zijn eerste Tour meteen op de tweede plaats. Deze positie zou hem nog vijfmaal ten deel vallen en zou hem (in ieder geval tot 1980) het aureool van 'eeuwige tweede' verschaffen.

Joop Zoetemelk bij moeder thuis in Rijpwetering, bijkomend van de inspanningen van de Tour de France 1970.

Na een valpartij vlak voor de finish komt Gerard Vianen lopend over de streep, 7de etappe Tour de France 1971.

Eddy Merckx en Joop Zoetemelk schudden elkaar de hand vóór de etappe Grenoble-Orcières-Merlette, Tour de France 1971.
In deze etappe droeg Zoetemelk voor het eerst in zijn carrière de gele trui. Hij zou deze echter dezelfde dag nog verspelen aan de Spanjaard Luis Ocaña.

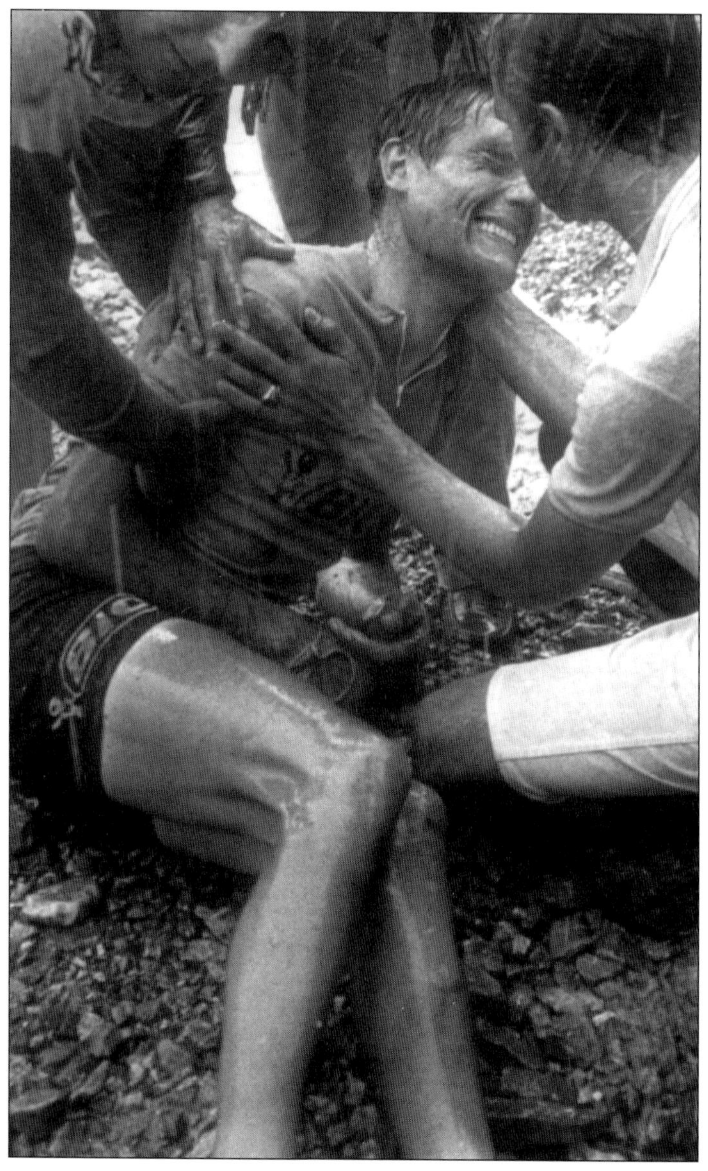

Luis Ocaña gevallen in de afdaling van de Col de Menté, etappe Revel-Luchon, Tour de France 1971.
De Spanjaard stond al bekend als een veelbelovend ronderenner, maar had in de etappe naar Orcières-Merlette eindelijk toegeslagen: met een fantastische solo door de Alpen had hij het hele peloton op grote achterstand gezet en de gele trui gepakt. Vanaf dat moment lag hij echter voortdurend onder vuur van een op wraak beluste Eddy Merckx. In slecht weer raasde Merckx zo hard van de Menté af, dat Ocaña boven zijn macht moest rijden en uit de bocht vloog. Net toen hij overeind kwam, botste Zoetemelk tegen hem op. Ocaña brak een sleutelbeen en een paar ribben; de ronde was voor hem voorbij.

Merckx start als nieuwe leider in een witte trui, etappe Luchon-Superbagnères, Tour de France 1971.
Nadat hij door de val van Ocaña weer aanvoerder van het algemeen klassement was geworden, weigerde Eddy Merckx de gele trui aan te trekken. Dat deed hij pas in de eerstvolgende etappe. Hoewel hij met vier etappezeges en een ruime voorsprong op Zoetemelk toch weer een overtuigende overwinning boekte, lag de schaduw van Luis Ocaña over deze ronde.
De etappe naar Superbagnères werd overigens net als die naar Luchon gewonnen door de Spaanse klimmer José-Manuel Fuente.

Eddy Merckx verfrist zich na de gewonnen Pyreneeën-etappe Pau-Luchon, Tour de France 1972.
Met zes etappezeges en winst van zijn ploeg in de ploegentijdrit was Merckx opnieuw een ongenaakbare winnaar. Het was zijn vierde Tourzege op evenzoveel deelnames.
De Kannibaal bleek onverzadigbaar. Hij reed gemiddeld 120 wedstrijden per jaar, en streed ook in de criteriums en op de baan in de winter voortdurend om de eerste prijs. Bovendien verbeterde hij eind oktober 1972 in Mexico-Stad het werelduurrecord tot een afstand van 49 km 431 m. Dit record bleef twaalf jaar staan.

Joaquim Agostinho vraagt een gendarme de weg, 9de etappe Tour de France 1972.
Agostinho is de meest succesvolle Portugese renner uit de Tourhistorie. Hij nam dertien keer deel aan de Tour en boekte vier etappezeges; het hooggebergte was zijn favoriete terrein. In 1978 en 1979 stond Agostinho in Parijs op het podium.

Joop Zoetemelk wint de proloog van de Tour de France 1973 bijna in zijn achtertuin.
In Scheveningen pakte hij de gele trui die hij ook deze keer slechts één dag zou houden. Wel zou hij in deze Tour nog de etappe Reims-Nancy winnen en in Parijs als vierde eindigen.

Voor de tweede maal start de Tour in Nederland: burgemeester Marijnen van Den Haag geeft in Scheveningen het vertreksein voor de eerste etappe van de Tour de France 1973.

Cyrille Guimard wint de etappe Roubaix-Reims, Tour de France 1973.
De Franse sprinter reed zijn beste Tours in 1971, toen hij zevende in het eindklassement werd, en in 1972, toen hij weliswaar Parijs niet haalde maar wel vier etappezeges boekte. Guimard werd later een zeer succesvol ploegleider, die Van Impe, Hinault, Fignon en LeMond naar winst in de Tour leidde.

Luis Ocaña wordt in Parijs gefeliciteerd met zijn overwinning door Zoetemelk, Thevenet en Van Springel, Tour de France 1973.
Bij afwezigheid van Eddy Merckx was de Spanjaard oppermachtig in de Tour. Hij won zes etappes en reed de nummer twee in het eindklassement, Bernard Thevenet, op meer dan een kwartier. Na zijn zege ging het snel bergafwaarts met Ocaña. Hij nam nog drie keer deel aan de Tour, maar speelde geen rol van betekenis meer. Na zijn wielerloopbaan werd Ocaña wijnboer. In 1994 pleegde hij onder enigszins verdachte omstandigheden zelfmoord. Ocaña's familie beschuldigde zijn echtgenote ervan haar man te hebben vermoord omdat deze haar wilde verlaten. Deze beschuldiging kon niet hard worden gemaakt.

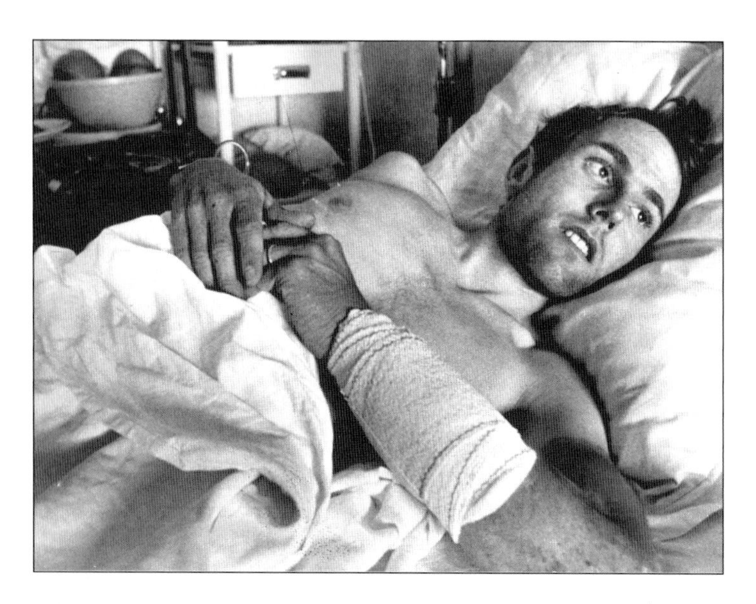

Zoetemelk uitgeschakeld voor de Tour de France 1974 door een ongeluk in de Midi Libre.
In het voorseizoen van 1974 toonde Joop Zoetemelk een blakende vorm, wat het beste deed vermoeden voor de Tour. Tijdens de Midi Libre reed hij in Valras tegen een auto op. Hij liep hersenvliesontsteking op en was voor de rest van het seizoen uitgeschakeld.

Gerrie Knetemann en Jean-Pierre Genet lopen door een haag van protesterende boeren nabij Sanadet in de Pyreneeën-etappe Seo de Urgel-St. Lary-Soulan, Tour de France 1974.
De boeren blokkeerden de koers uit protest tegen de dalende prijzen voor landbouwproducten.
Knetemann debuteerde in deze Tour en manifesteerde zich meteen als een geducht tijdrijder. Tourwinnaar werd voor de vijfde maal Eddy Merckx, die wederom een gesel over het peloton legde: hij won de proloog en zeven etappes. Nederlandse dagsuccessen waren er voor Henk Poppe en Gerard Vianen.

Francesco Moser met zijn manager Martini en de bondscoach van het Italiaanse voetbalelftal Bearzot na Mosers verbetering van het werelduurrecord, 1984.
In 1975 nam Moser deel aan de Tour. Hij won de proloog en een etappe; hij droeg zes dagen de gele trui en eindigde op een verdienstelijke zevende plaats. Doordat de Italiaanse sponsor van zijn ploeg weinig belang aan de Tour hechtte, bleef dit de enige deelname van de grote Italiaanse kampioen.

de tour als podium

De Tourkaravaan trok in het westen over verlaten weggetjes. Het was in de zeventiger jaren een rustige dag in de ronde. Niets wees erop dat de serene rust spoedig doorbroken zou worden en dat er een panieksituatie zou ontstaan. Félix Lévitan heette via de radio Tour de gasten welkom en wenste hun een aangename dag toe. Plotseling ontstond hevig rumoer. Vanuit bosschages aan de kant van de weg schoten mannen in overalls de weg op en wierpen levende biggetjes voor de auto's van de volgkaravaan. Ze schreeuwden dat de boeren in de streek ver onder het bestaansminimum moesten leven omdat de prijzen van varkensvlees dramatisch gedaald waren.

De wedstrijd werd geneutraliseerd, want verderop hadden de boze boeren barricades opgeworpen. Een jeugdige bromfietser werd de held van de dag. Hij wist een ontsnappingsroute door de bossen, waardoor de barricades omzeild konden worden. En zo sukkelde die dag de gigantische Tourkaravaan over een smalle, oneffen bosweg, achter een jonge bromfietser aan. Om vijftien kilometer verder weer de geplande route te nemen.

Vanaf 1903 zijn er protestacties en stakingen in de ronde geweest en werden aanslagen op de Tour gepleegd. In de pioniersjaren sloegen boze boeren tussen Lunevil en Epinal de renners met stokken, omdat ze vonden dat de Tourkaravaan de rust in hun dorpen verstoorde en hun geschrokken vee op de loop joeg. In die dorpen mocht maar 5 kilometer per uur gereden worden en de renners passeerden er met 25 kilometer per uur. Gendarmes schreven tientallen bekeuringen uit wegens overtreding van de maximumsnelheid, die Tourdirecteur Henri Desgrange allemaal op zijn bureau kreeg.

In 1905 werden tussen Meaux en Châlons-sur-Marne door onbekenden 125 kilo kopspijkers op het parcours gestrooid, zodat de helft van het peloton een lekke band kreeg, waardoor een enorme chaos ontstond. Het was vermoedelijk een protest tegen de diskwalificatie van winnaar Maurice Garin, een jaar eerder. Garin werd, op beschuldiging van fraude, drie maanden na de ronde gediskwalificeerd. Hij zou een gedeelte van het parcours per trein hebben afgelegd.

In de eerste ronde, in 1903, werd Hyppolyte Aucuturier, een kandidaat voor de eindzege, door de commissarissen uit de koers genomen. Hij zou urenlang gestayerd hebben achter de auto van een bevriende automobilist.

In Nantes, de woonplaats van Aucuturier, brak een volksopstand uit. Er vond een massale vechtpartij plaats met tientallen gewonden.

De grote concurrent van Aucuturier, Maurice Garin, moest in vermomming de stad uit worden geloodst. Gevreesd werd dat de woedende menigte, gewapend met bijlen, messen en kettingen, hem ter plekke zou lynchen.

In de tweede Tour deden zich ook weer ernstige incidenten voor. Maurice Garin en de jonge slagersknecht Pothier uit Sens reden op kop. Plotseling verscheen een auto van het merk Torpedo langszij en probeerde de beide koplopers van de weg te rijden. De inzittenden van de Torpedo schreeuwden dat niemand anders dan hun favoriet Antoine Fauré de Tour zou winnen. Garin en Pothier werden vanuit de auto met stokken op hun knieën geslagen.

Op het kritieke moment verscheen wedstrijdleider Géo Lefevre ten tonele. Lefevre en een commissaris, gewapend met revolvers, schoten

over de hoofden van de bandieten, die er vandoor gingen.
In Nîmes ontstonden grote problemen toen de plaatselijke favoriet Payan werd gediskwalificeerd omdat hij tot vijf keer toe achter een auto had gestayerd. Een woedende menigte stortte zich op de renners. Het werd een ware veldslag. Vrouwen en kinderen huilden, commissarissen losten waarschuwingsschoten in de lucht en gendarmes hieven hun sabels tegen de oproerkraaiers.
De volgende dag verscheen er in l'Auto een artikel waarin Henri Desgrange aankondigde dat deze Tour de laatste zou zijn. Want hij wilde niet het risico lopen dat een renner door misdadige elementen vermoord zou worden.
De Tour bleef het doelwit van protestacties. Zo blokkeerden in 1987 in de etappe van Bourg d'Oissans naar La Plagne schapenfokkers het parcours. Ze stuurden duizenden schapen de weg op als protest tegen de inzakkende vleesprijzen. De karavaan met zijn duizenden voertuigen liep drie uur lang volkomen vast. De Tourdirectie onderhandelde met de schapenfokkers. Toen deze vonden dat ze voldoende aandacht hadden gekregen, joegen ze hun schapen weer de bergen in. Laurent Fignon won die dag op La Plagne.
Vijf jaar eerder werd de ploegentijdrit tussen Orchies en Fontaine au Piré afgelast omdat arbeiders van de staalfabriek Usinor in Denain de weg blokkeerden. De staalfabriek werd met sluiting bedreigd en de arbeiders vroegen aandacht voor het behoud van hun werkgelegenheid.
Protesten, blokkades, chaos in de Tour. In Saint Nazaire kwamen arbeiders van de scheepswerven in actie tegen de Tourkaravaan omdat hun werkgelegenheid gevaar liep. Aan de voet van Alpe d'Huez blokkeerden boeren met hun tractoren de route als protest tegen het landbouwbeleid van de EG.
Maar ook de renners zelf ontregelden meermalen het normale verloop van de wedstrijd. In 1966 vonden in Bordeaux de eerste dopingcontroles in de Tour plaats. Doktoren, vergezeld door ambtenaren van het Franse ministerie van sport en jeugd, drongen op bruuske wijze de kamers van de renners binnen en eisten hun urine op.
Op 29 juni, een dag later, stapten de renners na vijf kilometer in de rit van Bordeaux naar Bayonne, uit protest tegen dit overheidsoptreden van hun fietsen en riepen slogans.
In 1978, twaalf jaar later, volgde opnieuw een rennersprotest. In de etappe van Tarbes naar Valence d'Agen passeerden de renners onder leiding van Bernard Hinault, Hennie Kuiper en Gerben Karstens te voet de finish. Het was hun protest tegen de lange verplaatsingen en het opsplitsen van etappes in diverse delen. De etappe werd geannuleerd.
Tijdens de 'doping-Tour' van 1998 protesteerden op 29 juli in de etappe van Albertville naar Aix-les-Bains de renners massaal tegen de invallen van de Franse politie in hun hotels. Het peloton staakte en reed in slakkengang over de wegen. Een aantal renners, onder wie geletruidrager Marco Pantani, verwijderde hun rugnummers. De etappe werd geannuleerd.
Even werd gevreesd dat de Tour Parijs niet zou halen. Maar op zondag de 2de augustus 1998 reden 96 renners op de Champs-Elysées over de finishlijn. Het instituut Tour de France had weer eens overleefd.

Gerben Karstens op de rug van de Belg Eddy Peelman in de etappe Tarbes-Albi, Tour de France 1975. Deze etappe zou gewonnen worden door Gerrie Knetemann.
Karstens reed in 1975 al zijn achtste Tour. Hij stond bekend als de clown van het peloton, maar had ondertussen ook al vier etappezeges op zijn naam staan. In 1976 zou hij nog twee etappes winnen, waaronder de slotetappe naar Parijs.

Eddy Merckx, Joop Zoetemelk en Bernard Thevenet tijdens de etappe Valloire-Morzine-Avoriaz, Tour de France 1975.
De Tour van 1975 markeerde het einde van het tijdperk Merckx. De Belg droeg lange tijd de gele trui en leek in de etappe naar Pra-Loup opnieuw een klap aan de concurrentie te gaan uitdelen; op de laatste klim kreeg hij echter een inzinking (in de hand gewerkt door een van de Franse supporters, die Merckx een stomp in zijn zij gaf). Thevenet haalde hem in, won de etappe en daarmee ook de Tour. De boerenzoon werd op slag een beroemdheid in Frankrijk.

Einde van een tijdperk: Eddy Merckx kondigt op een persconferentie het einde van zijn wielerloopbaan aan, 18 mei 1978.
Na zijn actieve wielercarrière startte Merckx een succesvolle racefietsfabriek.

Bernard Thevenet op de Champs-Elysées gefeliciteerd door president Valérie Giscard d'Estaing, Tour de France 1975.
De finish van de Tour vond in 1975 voor het eerst op de Champs-Elysées plaats.

Jan Raas tekent bij de Raleighploeg van Peter Post, 27 september 1974.

Jan Raas zou uitgroeien tot een groot kampioen in de klassiekers en maakte in 1976 zijn debuut in de Tour de France. De Zeeuw zou in totaal tien etappes winnen en driemaal de gele trui dragen.

Giovanni Battaglin wint de etappe Angers-Caen, Tour de France 1976.

Dit was de enige etappezege in de Tour van de Italiaanse klimmer. In 1979 won hij de Giro en werd hij zesde in de Tour, waarin hij bovendien het bergklassement won.

Wereldkampioen Hennie Kuiper leidt de Raleigh-ploeg naar de winst in de ploegentijdrit, Tour de France 1976.
Dit was het begin van een ongekende zegereeks in deze discipline van de door Peter Post geleide formatie. Van 1978 tot en met 1982 won de ploeg alle ploegentijdritten. De zege in 1976 bracht Hennie Kuiper in een goede uitgangspositie voor een hoge klassering, maar een zware val in de etappe St. Gaudens-St. Lary-Soulan schakelde hem uit.

Joop Zoetemelk en Lucien van Impe op Alpe d'Huez, Tour de France 1976. Zoetemelk won de etappe; Van Impe pakte de gele trui.
De Tourzege in 1976 was het hoogtepunt in de carrière van de Belgische klimmer die ieder jaar zijn seizoen volledig op de Tour afstemde. Op dertien deelnames won hij maar liefst zesmaal het bergklassement; een evenaring van het record van Bahamontes. In totaal boekte Van Impe negen etappezeges in de Tour.

Joop Zoetemelk, Raymond Poulidor, Bernard Thevenet en Lucien van Impe op de Col d'Izoard, etappe Bourg d'Oisans-Montgenèvre, Tour de France 1976.
Ook deze etappe werd gewonnen door een bijzonder sterk rijdende Zoetemelk, die in de Pyreneeën-etappe naar St. Lary-Soulan echter tactisch werd afgetroefd door Van Impe. Poulidor eindigde in deze Tour als derde en stond daarmee voor de achtste keer op het podium; tot op de dag van vandaag een absoluut record.

Dietrich Thurau, Joop Zoetemelk, Lucien van Impe, Bert Pronk, Gerrie Knetemann en Hennie Kuiper leiden het peloton in de etappe naar het Spaanse Vitoria, Tour de France 1977.
De eerste fase van de Tour 1977 werd gedomineerd door Didi Thurau, die twee weken lang de gele trui droeg; hij won de proloog en vier etappes. Zijn ploeg, het Nederlandse Raleigh, reed volledig in dienst van de Duitser, wat aan het eind van de Tour Hennie Kuiper duur kwam te staan.

Fedor den Hertog wint de etappe naar Rouen, Tour de France 1977.
Den Hertog, die een deel van zijn jeugd in de Oekraïne doorbracht, was als amateur een van de sterkste renners. Bij de Olympische Spelen van 1968 maakte hij deel uit van het gouden kwartet in de 100 km ploegentijdrit. In het profmilieu bleef hij altijd een buitenbeentje en maakte hij zijn grote belofte niet helemaal waar.

Joop Zoetemelk valt in de laatste bocht voor de finish van Alpe d'Huez, Tour de France 1977.
Hennie Kuiper wint de etappe en komt op 8 seconden van de gele trui. Zoetemelk reed een ongelukkige Tour. Behalve zijn val op Alpe d'Huez werd zijn etappezege in de klimtijdrit Morzine-Avoriaz geannuleerd wegens een positieve reactie op de dopingcontrole. Hij eindigde op de 8ste plaats, zijn laagste klassering in de Tour tot dan toe.

Bernard Thevenet en Hennie Kuiper in gesprek in de laatste etappe van de Tour de France 1977.
Ook in de cruciale tijdrit Dijon-Dijon was Thevenet Kuiper voorgebleven; hij won de Tour met 48 seconden verschil op Kuiper. Zijn tweede Tourzege kwam jaren later in een dubieus daglicht te staan, toen Thevenet toegaf tijdens deze Tour stimulerende middelen te hebben gebruikt.
Tegenwoordig is Thevenet in de Tour actief als commentator voor de Franse televisie.

Hinault versus LeMond

1978-1990

Tourdirecteuren Jacques Goddet en Felix Lévitan op de foto met Leidse kaasmeisjes.
In 1978 startte de Tour voor de derde maal in Nederland, deze keer in Leiden.

Bernard Hinault leidt een staking van de renners in de etappe naar Valence d'Agen, Tour de France 1978.
De renners protesteerden tegen de vele verplaatsingen in de Tour en kwamen lopend over de streep. De etappe werd geannuleerd.
Bernard Hinault ontpopte zich in zijn allereerste Tour meteen als een persoonlijkheid van formaat, een 'patron'. En als een kampioen. Hij bleek een uitstekend klimmer, die op zware verzetten in een strak tempo naar boven reed. Maar vooral als tijdrijder was hij een klasse apart.

Op de rustdag na de etappe naar Alpe d'Huez leest Joop Zoetemelk tot zijn verbazing dat hij de gele trui heeft veroverd, Tour de France 1978.
Op Alpe d'Huez was de Belgische klimmer Michel Pollentier als eerste over de streep gekomen en had daarmee de gele trui overgenomen van zijn landgenoot Jos Bruyère. Pollentier werd echter betrapt op fraude bij de dopingcontrole en uit de strijd genomen.

Weer pech voor Hennie Kuiper: in de afdaling van de Col du Granier breekt hij zijn sleutelbeen, etappe Grenoble-Morzine, Tour de France 1978.
Na de diskwalificatie van Pollentier was Kuiper op Alpe d'Huez uitgeroepen tot etappewinnaar. Hij stond derde in het algemeen klassement, een uitstekende uitgangspositie voor een nieuwe greep naar een Tourzege. Zijn val maakte een einde aan Kuipers illusies.

Bernard Hinault en Joop Zoetemelk op het podium in Parijs, Tour de France 1978.
In de tweede grote tijdrit Metz-Nancy had Hinault de concurrentie verpulverd en Zoetemelk uit het geel gereden. Zo stond na Merckx weer een kampioen van de buitencategorie tussen Zoetemelk en een Tourzege.

Jo Maas wint de etappe Roubaix-Brussel, Tour de France 1979.
De Limburger maakte een uitstekend debuut in de Tour met een zevende plaats in het eindklassement.

Joop Zoetemelk wint voor de tweede keer op Alpe d'Huez, Tour de France 1979.
In deze Tour was Alpe d'Huez tweemaal achtereen finishplaats. De eerste keer won Joaquim Agostinho; de tweede keer was Zoetemelk de snelste. Hinault en Zoetemelk torenden in deze Tour tot op de laatste dag ver boven hun concurrenten uit. In de slotetappe demarreerden zij samen en bereikten met voorsprong de Champs-Elysées. Hinault won de sprint, zoals hij in alle opzichten de meerdere was van Zoetemelk. Overigens werd Zoetemelk in die laatste etappe gedeclasseerd wegens een positieve reactie bij de dopingcontrole.

DE FASCINATIE VAN DE 'RODE LANTAARN'

Oostenrijkse bokser kust steentjes Champs-Elysées

de fascinatie van

Het is juli 1979. Boven Parijs staat de zon hoog aan de hemel. Op de Champs-Elysées is de menigte in feeststemming, want de Tourkaravaan legt de laatste kilometers af in de 66ste ronde. Bernard Hinault en Joop Zoetemelk hebben ervoor gekozen als de sterkste renners van de Tour extra aandacht te vragen. Ze zijn uit het peloton ontsnapt en draaien onder groot enthousiasme hun rondjes over Frankrijks beroemdste boulevard.

De Arc de Triomphe baadt in het zonlicht, de terrassen van Fouquet's, de 'huiskamer van Parijs', waar ooit Sofia Loren, Gracia van Monaco, Orson Welles, Marlene Dietrich, Edith Piaf en Alain Delon hun originele handdruk in een betonnen tegel achterlieten, zitten stampvol.

De winnaars worden uitbundig gehuldigd. Volksliederen galmen over de Champs. Vrouwen en vriendinnen, moeders en fans omhelzen de helden, die de 3720 kilometer tussen Fleurance en Parijs behouden hebben afgelegd.

En dan: als het feestgeruis al enigszins verstomd is, verschijnt er een eenzame renner op de boulevard. Er klinkt aarzelend applaus. De renner zwaait uitbundig naar het publiek. Tien meter vóór de finish trekt de renner zijn remmen dicht. Hij stapt van zijn fiets, knielt en kust de steentjes van de Champs. Dan heft hij theatraal zijn handen ten hemel. En dankt de goden dat hij het gehaald heeft. Tranen lopen over zijn wangen. Hij staat op en loopt de laatste meters naar de streep. Dan maakt hij in de schaduw van de Arc de Triomphe een triomfgebaar. Hij balt zijn vuist en lacht.

De 'Rode Lantaarn' heet Gerhard Schönbacher, een Oostenrijker. Hij is voormalig profbokser en stuntman. En hij gaat de geschiedenis in als de meest in het oog springende 'laatste man' in de Tour.

Want Schönbacher verzilverde zijn 'rode lantaarn' die hem roem bracht, onder andere in de Nederlandse criteriums, waar hij forse startgelden oogstte. Tientallen jaren lang werd niet omgekeken naar de sukkelaars, die te zwak waren om het tempo van de groep te volgen en ver achter de kampioenen vaak eenzaam over de weg reden. Vooral in de bergen kwamen zij in moeilijkheden.

Ze hielden zich vast aan passerende auto's of smeekten het publiek hen te duwen.

In de jaren zestig was de Tourdirectie het gedrag van deze 'tricheurs', deze bedriegers, moe. Het deed immers afbreuk aan het imago van heldhaftigheid van de renners die Parijs haalden.

In de auto's van de ploegleiders, waaraan de 'tricheurs' zich vaak vasthielden, nam verplicht een commissaris plaats die erop moest toezien dat er geen onregelmatigheden plaatsvonden. De ploegleiders hadden er snel iets op gevonden. Ze boden de commissaris vriendelijk een drankje aan, waarin een slaapmiddel zat. Terwijl de commissaris ronkend z'n roes uitsliep, werden de achterblijvers aan de auto van hun tweede ploegleider naar de toppen getrokken.

Maar ook deze 'truc special' is achterhaald. Commissarissen volgen nu de koers van achter op motoren met eigen motards. Of ze zitten in een helikopter boven het parcours en spieden met hun verrekijkers naar ongerechtigheden. Het leven van de zwakke broeders in de Tour, die nu veelal in een zogenaamde 'bus' hun leed delen, is er niet gemakkelijker op geworden.

Onder de dragers van de 'rode lantaarn' be-

vond zich af en toe een lepe persoon. In 1969, tijdens de Tour van Merckx, waarin de Belgische 'kannibaal' iedereen overklaste, had Eddy zijn zinnen gezet op het winnen van de prestigieuze etappe die eindigde op de top van de beruchte Puy-de-Dôme bij Clermont Ferrand.
De controle van de ijzersterke ploeg van Merckx op het koersverloop was frustrerend. Niemand mocht ontsnappen.
In het peloton reed echter een zekere Pierre Matignon mee, een Fransman die elke dag met grote achterstand de finish bereikte. Een zielig figuur, zo leek het. Als hij over de streep kwam, kreunde hij van onmacht. Niemand wist echter dat deze Matignon een kiene cijferaar was, die zich met opzet liet lossen, om zo zijn krachten te sparen om op tijd in z'n eigen tempo de finish te bereiken en ten slotte op zijn dag toe te slaan. Op de dag van de koninginnenrit naar de Puy-de-Dôme demarreerde Matignon tot ieders verbazing uit het peloton. Merckx en zijn mannen haalden meewarig hun schouders op. Ze lieten de sukkelaar gaan, want die zou het toch niet lang maken.
Matignon nam tien minuten voorsprong en toen Merckx ontdekte dat deze sukkelaar urenlang keihard zijn pedalen geselde, was het te laat. Dolgelukkig passeerde de 'Rode Lantaarn' als eerste de top van de Puy-de-Dôme, met vlak erachter Eddy Merckx als tweede. Sukkelaar Matignon had het hele peloton een oor aangenaaid.
Wat is er van de bekendste drager van de 'rode lantaarn', de bokser Gerhard Schönbacher, geworden? Hij is nu 47 en woont weer in Oostenrijk, hoewel hij in de omgeving van Gent in België ook nog een appartement bezit. Hij heeft een avontuurlijk leven achter de rug.
In 1985, zes jaar na zijn theaterstuk op de Champs-Elysées, moest hij de wielersport vaarwel zeggen. Want tijdens een trainingsrit in Melbourne, Australië, werd de globetrotter aangereden door een auto. Schedelbreuk, borstbeenbreuk.
Eenmaal hersteld stortte de 'Laterne Rouge' zich op nieuw stuntwerk. Staande op het dak van een auto op ski's en in skihouding en aërodynamisch gekleed, haalde Schönbacher een snelheid van 220 kilometer per uur, waarmee hij vermeld werd in het Guiness Book of Records.
Een maand later liet hij tijdens een afdaling op ski's een snelheid van 189 kilometer per uur registreren. De ex-bokser werd vervolgens autocoureur. Overal ter wereld nam hij deel aan de gekste en gevaarlijkste races.
Maar de voormalige ploegmakker van Hennie Kuiper bij DAF Trucks ontwikkelde ook interessante ideeën. Hij organiseerde in Australië met zijn bureau World Wide Sport Agency de Crocodile Trophy. Een twee weken durende mountainbikerace met start in Alice Springs in het hart van Australië naar Kuranda, aan de noordoostkust. 2100 kilometer, onder meer door het regenwoud, met hellingen van een stijgingspercentage tot 25%.
Bij alles wat hij onderneemt, wordt Gerhard Schönbacher echter nog altijd achtervolgd door de herinnering aan de Champs-Elysées. Het moment waarop hij de steentjes van de boulevard kuste. Dat blijft het mooiste moment in zijn leven. Getuige een kleine, rode lantaarn op zijn schoorsteen.

Gerrie Knetemann, rijdend in de regenboogtrui, wint de etappe Dijon-Auxerre voor Giovanni Battaglin in de bolletjestrui, Tour de France 1979.
Knetemann haalde hiermee zijn gram voor het feit dat hij na zijn zege in de etappe St. Priest-Dijon, twee dagen eerder, was gedeclasseerd wegens stayeren achter een auto. Eerder had de Kneet de proloog in Fleurance gewonnen. Battaglin op zijn beurt had zijn derde plaats in de etappe Metz-Ballon d'Alsace moeten inleveren nadat hij bij de dopingcontrole positief was bevonden.

De overmacht van de Raleigh-ploeg in de Tour de France 1980 ten voeten uit: Knetemann in het geel, Raas in het groen en Johan van der Velde in de witte trui na de vanzelfsprekende winst van Raleigh in de ploegentijdrit.
De Nederlandse ploeg won in deze Tour maar liefst elf etappes. Drie daarvan kwamen op naam van Jan Raas, die in 1979 wereldkampioen in Valkenburg was geworden.

Bernard Hinault in actie, Tour de France 1980.
Ondanks de kracht van het Raleigh-blok leek de Breton aanvankelijk toch weer de belangrijkste kandidaat voor de Tourzege. Hij won de eerste individuele tijdrit op het circuit van Francorchamps en meteen daar achteraan de etappe Luik-Lille. In de tweede tijdrit, bij La Plume, pakte hij weliswaar de gele trui maar moest de ritwinst aan Joop Zoetemelk laten. Een veeg teken. Twee dagen later stapte 'de Das' met een knieblessure uit de Tour. Een eerste aanwijzing van de gevolgen van de roofbouw die Hinault met zijn zware verzetten en zijn dominante manier van koersen op zijn lichaam pleegde.

Bert Oosterbosch wint de etappe Flers-St. Malo, Tour de France 1980.
De in deze Tour debuterende Oosterbosch was een van de vele azen in de Raleigh-ploeg. Zijn eerste Tour was de enige waarin hij Parijs zou halen. Oosterbosch stierf kort na het beëindigen van zijn profcarrière aan een plotselinge hartstilstand.

De Belg Herman Beysens vindt het haar van Henk Lubberding veel te lang, Tour de France 1980.
Henk Lubberding, die in 1978 als achtste in de Tour was geëindigd en de witte trui voor de beste renner onder 23 jaar had veroverd, was een sterke renner, die altijd volledig in dienst van de ploeg reed. Toch won hij in zijn carrière drie Touretappes.

In de Alpenetappe naar Prapoutel-Les Sept Laux leidt Johan van der Velde de dans vóór Joop Zoetemelk en Raymond Martin, Tour de France 1980.
Van der Velde groeide uit tot de belangrijkste helper van Zoetemelk in de bergen. Zelf zou hij de witte trui voor de beste jongere veroveren. Martin won de etappe Pau-Luchon en stond in Parijs als derde op het podium. Bovendien won hij het bergklassement.

Gerrie Knetemann en Joop Zoetemelk komen over de streep in Parijs, laatste etappe Tour de France 1980.
Bescheiden als hij was, en wijs geworden door de tegenslagen in zijn carrière, was Zoetemelk tegen verslaggevers altijd uiterst voorzichtig over zijn eigen kansen. 'De Tour is nog lang' en 'Parijs is nog ver' waren zijn gevleugelde uitspraken. In 1980 beleefde hij zijn 'finest hour'. Eindelijk zat alles mee. Joop won de Tour.

Joop Zoetemelk als Tourwinnaar op het podium op de Champs-Elysées tussen Raymond Martin (derde) en Hennie Kuiper (tweede), 1980.
Tienduizenden Nederlanders waren naar Parijs afgereisd om deze overwinning mee te vieren.

Joop Zoetemelk wordt gehuldigd in zijn woonplaats Rijpwetering, 1980.

Phil Anderson pakt de gele trui in St. Lary-Soulan, Tour de France 1981.
In 1981 was Bernard Hinault weer helemaal terug. Hoewel deze etappe gewonnen werd door Lucien van Impe en de sterk debuterende Australiër Anderson het geel pakte, legde Hinault in de Pyreneeën een solide basis voor zijn derde Tourzege.

Freddy Maertens wint de sprint in Narbonne-Plage, 4de etappe Tour de France 1981.
In 1981 stond er geen maat op de Belg. Hij won vijf etappes en veroverde de groene trui; later dat jaar zou hij voor de tweede keer wereldkampioen worden. In de Tour van 1976 was de heerschappij van Maertens nog groter geweest. Toen boekte hij het recordaantal van acht etappezeges, reed tien dagen in de gele trui en werd achtste in het eindklassement.

In Rochefort-sur-Mer wil iedereen het vertrek van de 9de etappe van de Tour de France 1981 zien.
De etappe naar Nantes zou gewonnen worden door Ad Wijnands.

Ad Wijnands wint de etappe in Aulnay-sous-Bois, Tour de France 1981.
Hoewel Wijnands Parijs niet zou halen, maakte hij met overwinningen in de 9de en 11de etappe een uitstekend Tourdebuut.

In de laatste bergetappe Bourg d'Oisans-Les Sept Laux-Le Pleynet strijden Johan van der Velde, Raymond Martin en de Zweed Sven-Åke Nilsson ver achter de ontketende Bernard Hinault, die de etappe zal winnen, Tour de France 1981.
Hinault was in deze Tour weer op zijn oude, superieure niveau. Hij won de proloog en vier etappes; in Parijs had hij bijna een kwartier voorsprong op zijn naaste 'belager' Lucien van Impe. Toch reed ook Van der Velde een goede Tour. Hij won twee etappes, zijn eerste ritzeges in de Tour de France.

Peter Winnen wint de etappe naar Alpe d'Huez, Tour de France 1981.
De klimmer uit Limburg maakte een verrassend debuut in de Tour. Op Alpe d'Huez demarreerde hij uit een sterke kopgroep met o.a. Hinault en Van Impe en zette hij de reeks van Nederlandse successen op deze berg voort. In het eindklassement eindigde hij als vijfde.

Hinault pijnigt de concurrentie in de etappe Fleurance-Pau, Tour de France 1982.
Bergkoning Bernard Vallet, Raymond Martin, Phil Anderson, Peter Winnen, Jostein Willmann en Johan van der Velde kreunen onder het moordende tempo van Bernard Hinault in de klim.

Johan van der Velde na de tijdrit in St. Priest, die gewonnen zal worden door Bernard Hinault, Tour de France 1982.
In deze tijdrit veroverde Van der Velde de derde plaats op Peter Winnen en verzekerde zich van een podiumplaats in Parijs.

Radiolegende Theo Koomen interviewt Gerard Veldscholten vanaf de motor in de bergetappe Alpe d'Huez-Morzine, Tour de France 1982.
Veldscholten debuteerde verdienstelijk met een 32ste plaats in het eindklassement.

Bernard Hinault wint voor de tweede maal op de Champs-Elysées, Tour de France 1982.
Hinault won in 1982 zijn vierde Tour met veel allure, al was zijn overmacht minder groot dan het jaar daarvoor. De Nederlanders deden het uitstekend in deze Tour. Zij wonnen zes etappes en bezetten vier posities in de toptien van het eindklassement (waaronder de plaatsen 2, 3 en 4).

Adrie van der Poel trekt een gekke bek met naast hem Bert Oosterbosch, etappe Roubaix-Le Havre, Tour de France 1983.
Van der Poel, die in zijn lange carrière vooral in eendagswedstrijden en in veldritten excelleerde, haalde in 1983 zijn hoogste klassering in de Tour de France: 37ste. Op tien deelnames aan de Tour behaalde hij twee ritzeges.
Oosterbosch won in deze Tour twee etappes, waaronder de lange tijdrit Châteaubriant-Nantes.

Na de etappe Bordeaux-Pau mag Sean Kelly de gele trui aantrekken, Tour de France 1983.
De Ierse klassiekerkoning ontwikkelde zich meer en meer tot een volwaardige ronderenner. De gele trui raakte hij echter na één dag alweer kwijt aan Pascal Simon.

Henk Lubberding na de etappe Issoire-St. Étienne met parttime radiocolumnist Gerrie Knetemann, Tour de France 1983.
Lubberding, die eerder de etappe naar Aurillac had gewonnen, kwam in deze etappe als eerste over de streep, maar had volgens de wedstrijdjury in de sprint Michel Laurent in de hekken gereden. Lubberding werd teruggezet naar de tweede plaats; de Fransman werd tot etappewinnaar uitgeroepen. De Kneet kon wegens blessures niet aan de Tour meedoen en werkte voor de NOS als radioverslaggever.

‘GRIMPEURS’ ZIJN HET MEEST OMWEVEN MET LEGENDEN

De vrouwen van Charly gingen ervandoor met het goud uit de Alpen

‘grimpeurs’ zijn het meest

In maart 2001 wordt er in de Alpen nabij Gleizolles goud gevonden. Het nieuws gaat door Europa en de verwachting wordt uitgesproken dat er in de Alpen nog meer goud zal worden ontdekt.

Voor de klimmers in de Tour de France is dit oud nieuws. Want zij hebben, sinds de Alpen in 1907 in het parcours werden opgenomen, goud geoogst op cols zoals Alpe d’Huez, Croix-de-Fer, Cucheron, Galibier, Glandon, Iseran, Izoard, Lautaret, Madeleine, Orcières-Merlette en Pra-Loup.

Hoge rotsen, soms oogstrelend bekleed met diep groen, tijdloos grazend vee, mooie houten chalets, bosschages, een verdwaalde berggeit, gletsjers en dromerige meertjes. Klimmers, de goudzoekers in de lieflijke Alpen en de ruigere Pyreneeën, zijn in de regel lichtgewichten, iele mannetjes van rond zestig kilo, die qua bot- en spiervorming, maar vooral door hun vaak unieke ‘circulatievermogen’ in de ijle lucht het beste presteren.

Als de lucht dun wordt en de ademhaling zwaar, komen de begenadigde ‘grimpeurs’ naar voren. Zij spreken van alle typen renners het meest tot de verbeelding. Ook al omdat hun toernooiveld gigantisch en indrukwekkend is.

De ‘grimpeurs’, de klimmers, zijn ook het meest omweven met legenden. In de oertijden ploeterden ze over onbegaanbare bergpaadjes. Wegens het opkomende toerisme zijn deze paden in de loop der tijden weliswaar verbreed tot boulevards op hoogte, maar het lijden van de renners is gebleven.

In 1954 verschijnt ene Fédérico Bahamontes uit Toledo, een Spanjaard met een scherp gesneden gezicht, in de Tour de France. Hij danst op het ritme van de flamenco naar de toppen van de bergen. Op de Galibier, op de weg naar de grens van de eeuwige sneeuw (2646 meter boven de zeespiegel), laat hij de concurrentie ver achter zich. Daar ziet hij aan de kant van de weg een ijskarretje staan.

Hij stapt van zijn fiets, vraagt beleefd een ijsje en gaat op z’n gemak genieten van de versnapering. Als de eerste concurrenten voorbijkomen zegt hij ‘gracias’ tegen de ijscoman en vervolgt zijn weg.

Bahamontes, die de bijnaam ‘Adelaar van Toledo’ verwerft, is gekomen om bergkoning in de Tour te worden. Het eindklassement interesseert hem totaal niet. Als ‘Baha’ demarreert uit het peloton durft vrijwel niemand met hem mee te gaan, want dit is een sollicitatie voor de bezemwagen. ‘De Adelaar’ beschikt namelijk over een uniek acceleratievermogen. Als iemand het toch waagt hem te volgen, zijn enkele bruuske tempoversnellingen voldoende om de ‘waaghals’ de benen af te snijden. In elf jaar won Bahamontes zes keer het bergklassement. Verder leken zijn aspiraties niet te gaan. In 1959 verkeek de sterke Franse afvaardiging met Bobet, Anquetil, Geminiani, Darrigade en Stablinski zich finaal op de Spaanse klimmer. Hij was inmiddels 31 en hij had veel bijgeleerd. Onder andere hoe je op een fatsoenlijke manier ook van een berg kon afdalen. En ‘Baha’ won de ronde. In Toledo brak spontaan een volksfeest uit. De stad stond op zijn kop.

Zes jaar later, tijdens de etappe op weg naar Axles-Themes, verdween Fédérico Bahamontes voorgoed uit de koers. Hij stapte af en gooide zijn schoenen met een achteloos gebaar in de greppel. ‘De Adelaar’ was vleugellam geworden.

De Luxemburger Charly Gaul, bijgenaamd ‘De Engel van de Bergen’, was een van de meest bejubelde atleten van zijn tijd. Hij had het postuur van de pure klimmer, 1 meter 73 bij

een gewicht van 58 kilo, longinhoud 7,2 liter, hartslag in rust: 40. Blauwe ogen, blond haar. Charly was de lieveling van de vrouwen, maar de kwelgeest van de niet-klimmers.
Hij leefde allesbehalve serieus voor zijn sport. Aan trainen had hij een grondige hekel. Hij ging liever vissen en jagen. Hij begon zijn seizoen ook altijd laat. In Luik – Bastenaken – Luik, dan is het al april, verscheen hij met een Amerikaanse legerpet op het hoofd, want dan pas probeerde hij, na weer een winter vol geneugten, weer wedstrijdritme op te doen. Tegen de tijd dat de grote ronden van Italië en Frankrijk begonnen, kwam hij langzaam in vorm.
Charly werd bijzonder geïnspireerd door noodweer. Onvergetelijk is zijn optreden in de Tour van 1958 in de 21ste etappe van Briançon naar Aix-les-Bains, een rit over vijf cols in de Chartreuse.
In Briançon hing die dag de hitte loom boven de stad. Maar boven het gebergte pakten zich donkere wolken samen. Op de Galibier en de Lautaret kliefden bliksemflitsen in de asgrauwe wolkenmassa's. In deze geladen atmosfeer demarreerde 'De Engel' op de Luitel, de tweede col van de dag. Er waren nog 120 kilometer af te leggen. Even kon Bahamontes volgen, maar de Spanjaard werd eraf gereden en toen was Gaul alleen om vervolgens het klassement totaal in puin te rijden. Jacques Anquetil kwam 23 minuten na Gaul zwijmelend over de streep en moest naar een ziekenhuis worden afgevoerd. Louison Bobet verloor twintig minuten. Fédérico Bahamontes een half uur.
De ravage die Charly Gaul op één dag in echt noodweer had aangericht, was voldoende voor hem om in het Parc des Princes in Parijs op de hoogste trede van het podium te klimmen.
Fédérico Bahamontes leidde na zijn loopbaan in Toledo met zijn vrouw Fermina een rustig leven. Hij bouwde een mooie sportzaak op, 'Fédérico Bahamontes Deportes', en hij wordt in het hele land nog regelmatig uitgenodigd voor diverse festiviteiten. Want 'De Adelaar' is nog altijd populair.
Anders verging het Charly Gaul in Luxemburg. De vrouwen uit zijn eerste twee huwelijken, Georgette en Nicole, gingen ervandoor, met medeneming van het grootste deel van zijn kapitaal, het goud uit de Alpen.
Charly ging als een kluizenaar leven. Hij zwierf met zijn jachtgeweer vaak dagenlang alleen door de bossen. Hij liet een lange baard groeien en was onherkenbaar. Dertig jaar lang verscheen hij ook niet meer in de Tour. Totdat hij midden jaren negentig plotseling een uitnodiging van de Tourdirectie aanvaardde. Daar zat hij dan op de tribune, verscholen onder een grote hoed. Toen de speaker zijn naam riep, applaudisseerde het publiek. Namen die de geschiedenis van de Tour hebben bepaald worden niet zo gauw vergeten.
Het gilde van de pure klimmers was aan een sleet onderhevig. De 'grimpeurs' werden in de jaren zeventig, tachtig en negentig nogal eens eraf gereden door de mannen met enorme macht, zoals Eddy Merckx, Bernard Hinault en Miguel Indurain. Die trapten bergop een zodanig grote versnelling, dat de klimmers over hun toeren gedraaid werden, zodat ze in de tijdritten overmeesterd konden worden.
In 1998 was het 22 jaar geleden dat voor het laatst een echte klimmer (de Belg Lucien van Impe in 1976) in Parijs had gezegevierd. Toen was daar Marco Pantani. Een vermeend uitgestorven ras had een springlevende nieuwe telg voortgebracht.

Peter Winnen verslaat Jean-René Bernaudeau en wint voor de tweede maal op Alpe d'Huez, Tour de France 1983.
Deze zege bracht Winnen dicht bij het geel. Eén dag later, in de etappe Alpe d'Huez-Morzine, reed hij lange tijd 'virtueel' in het geel, maar kon niet doordrukken. Uiteindelijk moest hij in het eindklassement ook de Spanjaard Angel Arroyo nog voor laten gaan.

Johan van der Velde gevallen in de afdaling van de Col de la Madeleine, etappe Alpe d'Huez-Morzine, Tour de France 1983.

Laurent Fignon, 'de Zonnekoning', winnaar van de tijdrit in Dijon, Tour de France 1983.
Bij afwezigheid van de aan zijn knie geblesseerde Bernard Hinault kwam de gesjeesde student diergeneeskunde Laurent Fignon enigszins bij toeval in de gele trui, nadat klassementsaanvoerder Pascal Simon bij een val zijn schouderblad had gebroken (een kwetsuur waarmee hij overigens nog een paar dagen doorfietste). Eenmaal in het bezit van de gele trui, verdedigde Fignon zijn positie met verve en werd hij een van de jongste Tourwinnaars uit de historie: 22 jaar.

Bernard Hinault verwelkomt een jonge Greg LeMond in zijn Renault-ploeg, 1980.
De Amerikaan LeMond debuteerde in 1984 als wereldkampioen in de Tour en werd prompt derde. Toch reed hij als ploeggenoot van Hinault een 'voorzichtige' Tour; hij was overduidelijk gekomen om te leren.

Joop Zoetemelk, Gerard Veldscholten en Greg LeMond tijdens de etappe Bordeaux-Pau, Tour de France 1984.
Gerard Veldscholten was met een 16de plaats de beste van een voor het overige teleurstellend Nederlands contingent. Er was een ritzege voor Jan Raas en er waren gele truien voor Jacques Hanegraaf en Adrie van der Poel; daarmee was de koek op.

Laurent Fignon en Bernard Hinault leiden het peloton in de etappe naar Villefranche-en-Beaujolais, die gewonnen zal worden door de Belg Frank Hoste, Tour de France 1984.
Eén dag later zou Fignon in de laatste tijdrit van de Tour de concurrentie verpulveren en zijn tweede Tourzege veiligstellen.
Was Fignon in 1983 nog enigszins bij toeval in het geel gekomen, in 1984 was hij ongenaakbaar. Hij won vijf etappes en zette in de tijdritten zelfs Bernard Hinault op grote achterstand.

Laurent Fignon wordt in 1984 door burgemeester Chirac van Parijs en de Franse oppositieleider Fabius gehuldigd als Tourwinnaar.
Naast hem de Amerikaanse Mary-Nanne Martin, winnares van de eerste 'Tour féminin'.
Vrij kort na zijn Tourzege kreeg Fignon een kwetsuur aan zijn achillespees en sukkelde hij enkele jaren met zijn gezondheid. Pas in 1989 kwam hij weer terug op topniveau.

Maarten Ducrot wint de etappe Straatsburg-Epinal, Tour de France 1985.
De Nederlandse student psychologie droeg in zijn eerste Tour ook nog enkele dagen de bolletjestrui.

Bernard Hinault en Luis Herrera gedemarreerd in de etappe naar Morzine-Avoriaz, Tour de France 1985.
Met Laurent Fignon in de ziekenboeg zag Hinault de weg vrij naar een vijfde Tourzege. Herrera zou deze etappe winnen en zou later tevens in St. Étienne zegevieren. De eerste etappezege van de 'Kleine Tuinman', op Alpe d'Huez in 1984, had heel Colombia in vuur en vlam gezet. In 1985 bekroonde ook Herrera's landgenoot Fabio Parra zijn eerste Tour met een ritzege.

Bernard Hinault bij de ravitaillering in de etappe naar St. Étienne, Tour de France 1985.

Joop Zoetemelk en Peter Winnen in de klim van de Tourmalet, etappe Toulouse-Luz-Ardiden, Tour de France 1985.
Langzaam maar zeker raakte het Nederlandse wielrennen in verval. Peter Winnen kon geen vervolg geven aan de sterke optredens in zijn eerste drie Tours. En voor Zoetemelk gingen de jaren tellen. Toch werd hij in deze Tour met een twaalfde plaats weer de beste Nederlander. Bovendien stond hij aan de vooravond van een van zijn grootste successen. In Noord-Italië werd hij kort voor zijn 39ste verjaardag wereldkampioen op de weg. Het jaar daarop zou hij in zijn laatste Tour een absoluut record vestigen: geen enkele renner vóór of na hem nam zestien keer aan de Tour deel.

Johan van der Velde ontsnapt met Joël Pelier in de etappe Evreux-Villers-sur-Mer, Tour de France 1986.
In deze etappe 'flikte' Van der Velde de Fransman. Van der Velde maakte door deze ontsnapping kans op de gele trui; volgens ongeschreven wielerwetten wordt dan de etappezege aan de vluchtgenoot gelaten. Van der Velde verraste Pelier door ook de etappewinst op te eisen. Van der Velde behield zijn trui twee dagen. Verder waren er geen opvallende prestaties van Nederlanders, of het zou de verdienstelijke negende plaats in het eindklassement van Steven Rooks moeten zijn.

Ploeggenoten Bernard Hinault en Greg LeMond hand in hand over de finish op Alpe d'Huez, Tour de France 1986. Natuurlijk drukt Hinault zijn wiel iets eerder over de streep.
Nadat Hinault in 1985 met veel steun van LeMond zijn vijfde Tourzege had geboekt, beloofde hij dat hij het jaar daarop LeMond aan de zege zou helpen. Hij maakte het in 1986 LeMond echter juist bijzonder lastig, naar eigen zeggen om zijn ploeggenoot geestelijk te harden. Velen vermoedden achter zijn aanvallende rijden een heimelijke hunkering naar een zesde Tourzege. In de Alpenetappe Gap-Serre-Chevalier was de machtsovername echter definitief een feit. LeMond won de Tour.

Bernard Hinault aan het werk in zijn tuin in Quessoy, Bretagne. Hinault ontving vrijwel nooit iemand in zijn huis.

Erik Breukink in de witte trui naast Angel Arroyo, Tour de France 1987.
De Nederlandse tijdritspecialist zou de trui voor de beste jongere uiteindelijk aan zijn latere ploeggenoot Raúl Alcala moeten laten, maar reed niettemin een zeer veelbelovende Tour. Hij won de etappe Bayonne-Pau en werd 21ste in het eindklassement.

Stephen Roche, Charly Mottet en Theo de Rooy leiden het peloton met onder anderen Luis Herrera in de bolletjestrui in een bergetappe, Tour de France 1987.
Stephen Roche beleefde in 1987 een uniek seizoen. Hij won in één jaar zowel de Giro, de Tour als het wereldkampioenschap. Dat had vóór hem alleen Eddy Merckx gepresteerd. Roche was bovendien de eerste Tourwinnaar uit Ierland, wat hem het ereburgerschap van het duizendjarige Dublin opleverde. Het jaar 1987 was het absolute hoogtepunt in de carrière van Roche, wiens collega's van de melkfabriek in 1980, vóór zijn vertrek naar het Europese vasteland, geld voor hem hadden ingezameld om hem te steunen bij zijn grote wieleravontuur.

Teun van Vliet, rijdend in de gele trui, leidt een groep met o.a. Thierry Marie, Johan Lammerts en Gilbert Duclos-Lassale in de etappe naar Le Mans, Tour de France 1988.
De etappe werd gewonnen door Jean-Paul van Poppel.

Steve Bauer in Straatsburg na de 9de etappe van de Tour de France 1988.
De Canadees won een etappe, reed in totaal zes dagen in de gele trui en werd vierde in het eindklassement. Later dat jaar zou hij in de finale van het wereldkampioenschap in Ronse de Belg Criquielion in de hekken rijden.

Jean-Paul van Poppel wint de sprint in Besançon vóór Guido Bontempi en Eddy Planckaert, 10de etappe Tour de France 1988.
Jean-Paul van Poppel was misschien wel de beste sprinter van zijn generatie. In 1987 had hij als eerste Nederlander sinds Jan Janssen het puntenklassement gewonnen; in 1988 won hij vier etappes, waaronder de slotetappe in Parijs.

Het podium van de Tour de France 1988 in Parijs: Steven Rooks, Pedro Delgado en Fabio Parra.
De voormalige ziekenbroeder Delgado, die vooral vermaard was om zijn spectaculaire daaltechniek waarbij hij zijn neus zowat op zijn voorwiel drukte, won de Tour van 1988 onder enigszins dubieuze omstandigheden. Na zijn overwinning in de klimtijdrit naar Villard-de-Lans reageerde Delgado positief op de dopingcontrole. De stof die in zijn urine werd aangetroffen, probenecide, was door het IOC *al wel, maar door de* UCI *nog niet op de lijst van verboden middelen geplaatst. Dat gaf de ploeg van Delgado en zelfs de Spaanse regering de gelegenheid de Tourorganisatie onder druk te zetten en te dreigen met rechtszaken indien Delgado gestraft zou worden. De Tourdirectie bezweek voor de druk: Delgado behield zijn gele trui.*

Pedro Delgado verschijnt in de Ronde van Stiphout na zijn zege in de Tour de France 1988.
De dopingperikelen in de Tour van 1988 hadden geen invloed op de populariteit van 'Perico'.

Steven Rooks met Cees Priem bij de presentatie van de TVM-ploeg, eind 1998.
Na zijn wielercarrière was Rooks korte tijd actief als ploegleider. Ook was hij enige tijd wielercommentator bij de NOS.
In de Tour van 1988 was Rooks de grote rivaal van Delgado. Hij won de etappe naar Alpe d'Huez en werd de eerste Nederlandse bergkoning. Prompt werd het café van zijn supportersvereniging in zijn woonplaats Warmenhuizen in het motief van de bolletjestrui overgeschilderd. Rooks heeft zijn tweede plaats van 1988 nooit kunnen verbeteren of evenaren.

Foto: © Tonny Strouken.

Greg LeMond keert terug in de wielersport, criterium St. Baafs-Vijve, augustus 1987. Op de foto is de latere Tourdirecteur Jean-Marie Leblanc als verslaggever herkenbaar.
Begin 1987 was LeMond het slachtoffer geworden van een bizar jachtongeluk. Zijn zwager Pat Blades zag LeMonds bewegingen in het struikgewas voor het geritsel van een kalkoen aan en doorzeefde LeMond met hagel. De Tourwinnaar ontsnapte ternauwernood aan de dood. Toch keerde hij een half jaar later alweer terug in de wielersport, maar voor het rondewerk op topniveau leek hij verloren. Tot de Tour van 1989.

Laurent Fignon grappend met de Tourdirectie, Tour de France 1989.
Fignon vond in 1989 de supervorm van zijn hoogtijdagen terug en reed bijzonder aanvallend.

Greg LeMond, omringd door zijn ploeggenoten uit de bescheiden ADR-ploeg, met links Eddy Planckaert, Tour de France 1989.
De Tour van 1989 was misschien wel de meest bloedstollende uit de naoorlogse geschiedenis. Voor de gele trui was het voortdurend stuivertje wisselen tussen Fignon en LeMond. Fignon leek de Tour te gaan winnen, maar in de afsluitende tijdrit naar de Champs-Elysées troefde LeMond (die en passant het triatlonstuur in de Tour introduceerde) de Fransman toch nog af. Het verschil tussen de twee bedroeg uiteindelijk 8 seconden…

De helden uit de PDM-ploeg worden gehuldigd na afloop van de Tour de France van 1989: Marc van Orsouw en vooral Gert-Jan Theunisse en Steven Rooks.
Binnen het onafscheidelijke duo Rooks-Theunisse had Theunisse dit jaar de overhand. Hij won de etappe naar Alpe d'Huez na een fantastische solo en werd in navolging van Rooks winnaar van het bergklassement. In het algemeen klassement eindigde hij als vierde. Rooks was minder sterk dan het jaar daarvoor, maar werd toch nog zevende na onder meer een fraaie overwinning in de klimtijdrit naar Orcières-Merlette.

Johan Museeuw op 12-jarige leeftijd tijdens de Plechtige Communie.
Uit dit ventje zou een coureur van wereldklasse groeien. In 1990 reed Museeuw zijn beste Tour, met etappezeges in Le Mont St. Michel en op de Champs-Elysées.

Jelle Nijdam (tweede van rechts) op weg naar de overwinning in Vittel, Tour de France 1990.
Nijdam was niet echt een sprinter, maar was berucht om het verschrikkelijk hoge tempo dat hij in de laatste kilometers kon ontplooien. Nijdam nam tussen 1985 en 1995 tien keer deel aan de Tour en boekte daarin zes dagsuccessen.

Erik Breukink in de klim naar St. Gervais/Mont Blanc, 10de etappe Tour de France 1990.
Na drie jaar lang zijn aandacht over de Giro en de Tour te hebben verdeeld, concentreerde Breukink zich in 1990 volledig op de Tour. Breukink won twee tijdritten en reed even solide als aanvallend; slechts één zwakke dag in de Pyreneeën zorgde ervoor dat de Tourzege voor de derde keer naar Greg LeMond ging.

Claudio Chiappucci houdt op Luz-Ardiden twee seconden voorsprong op Greg LeMond en blijft in het geel, Tour de France 1990.
De revelatie van Claudio Chiappucci als ronderenner is terug te voeren op de tweede etappe van de Tour van 1990. Chiappucci ontsnapte met Frans Maassen, Steve Bauer en Ronan Pensec uit het peloton. Maassen won de etappe, Bauer en Pensec reden in het geel, maar Chiappucci hield het het langst vol. Pas in de tijdrit op de voorlaatste dag van de Tour reed LeMond hem uit het geel. Chiappucci eindigde in Parijs als tweede, net vóór Erik Breukink. Vóór de Tour van 1990 was Claudio Chiappucci een onbetekenende renner. Na de Tour van 1990 was hij een ster.

Indurain en de troonopvolgers

1991-2000

Erik Breukink uitgeput na de tijdrit Argentan-Alençon, Tour de France 1991.
In 1990 leek Breukink de juiste seizoenindeling te hebben gevonden. Door niet langer de Giro te rijden bleek hij in de Tour over aanzienlijk meer macht te beschikken. In 1990 was hij dicht bij de overwinning gekomen; in 1991 moest het gaan gebeuren. In de lange tijdrit naar Alençon lag Breukink tot 10 km voor de finish op koers voor het geel en misschien wel voor een Tourzege. Toen stortte hij in. Alle renners uit de PDM-formatie bleken nadien doodziek te zijn door bedorven Intralipid dat de ploegarts hun had toegediend. De hele ploeg verliet de ronde. De tijdrit werd gewonnen door een zekere Miguel Indurain.

Claudio Chiappucci en Miguel Indurain leiden de kopgroep met o.a. Greg LeMond op de Col du Tourmalet, etappe Jaca-Val Louron, Tour de France 1991.
Een cruciale etappe in de Tourgeschiedenis. Chiappucci greep de etappewinst; Indurain nam de macht over van LeMond. Na een behoedzame maar gestage opmars van zeven jaar was Indurain in 1991 volgroeid als atleet. Hij zou de Tour vijf jaar lang in een ijzeren greep houden.

Gianni Bugno en Miguel Indurain op Alpe d'Huez, 17de etappe Tour de France 1991. Bugno zal de etappe winnen.
Gianni Bugno groeide in 1991 uit tot de belangrijkste rivaal van Indurain. De stuurse Italiaan had zich in 1990 ontpopt tot volwaardig ronderenner: in de Giro van dat jaar droeg hij van de eerste tot de laatste dag de roze leiderstrui. De groei van zijn capaciteiten in de grote ronden was voor een deel toe te schrijven aan het overwinnen van zijn angst in de afdaling met behulp van muziektherapie.
In het najaar van 1991 werd Bugno wereldkampioen, een prestatie die hij een jaar later herhaalde.

Alex Zülle pakt de gele trui in San Sebastian, Tour de France 1992.
De zoon van een Zwitserse vader en een Nederlandse moeder verscheen in de eerste twee jaar van zijn profcarrière als een komeet aan het firmament. Op de tweede dag van zijn eerste Tour pakte Zülle meteen de gele trui, die hij overigens maar één dag zou houden. Om geen roofbouw op de jonge coureur te plegen stuurde de ploegleider van ONCE, Manolo Saiz, Zülle op de eerste rustdag naar huis.

HET (BIJ)GELOOF IN HET PELOTON

Muziek van Mozart, gouden kruisjes kussen, kruistekens slaan en de benen scheren

Op 12 mei 1986 deelden in de Ronde van Italië Gianni Bugno en Emilio Ravasio van de Atala-Omega-ploeg de kamer. In de eerste etappe van de Giro, die van Palermo naar Sciacca Terme voerde, kwam Ravasio op tien kilometer voor de finish ten val. Hij viel met zijn hoofd op het wegdek, maar bereikte nog wel de eindstreep. 's Avonds op zijn hotelkamer raakte Ravasio in coma. Kamergenoot Bugno alarmeerde de dokter. Emilio Ravasio werd overgebracht naar een ziekenhuis en ontwaakte nooit meer uit zijn coma.

Het was een traumatische ervaring voor Gianni Bugno, die volledig gestrest raakte. Als hij aan een afdaling begon, trilde hij over z'n hele lichaam. Hij werd bevangen door een onbestendige angst, hij werd duizelig, kreeg braakneigingen en durfde niet meer te dalen. Ten einde raad zocht Bugno in Milaan de psychologe dr. Laura Bertele op. Bertele heeft veel ervaring opgedaan. Zij heeft bijvoorbeeld operazangers van de Scala in Milaan van hun faalangst bevrijd.

Dr. Bertele behandelde Bugno met muziektherapie. Gianni lag languit op de bank en luisterde in sessies van tien minuten naar muziek van Wolfgang Amadeus Mozart. Vervolgens paste dr. Bertele straalbreking van het licht op Bugno toe.

Na een half jaar was Gianni Bugno volledig genezen. Hij daalde weer met negentig kilometer per uur van de bergen naar beneden, waardoor hij in twee opeenvolgende jaren op Alpe d'Huez kon winnen en als tweede in de Tour zou eindigen. Maar vóór elke afdaling neuriede hij wel de muziek van Mozart, anders durfde hij niet naar beneden.

Geloof en bijgeloof in de Tour. Gerrie Knetemann weigerde het om nummer 13 te dragen. Hij sliep in hotels ook nooit in kamer nummer 13. En hij droeg altijd het door zijn vrouw Gré gebreide onderhemdje. Nooit een ander hemd. Henk Lubberding begon nooit aan een etappe zonder stretchoefeningen. En 's avonds in zijn hotelkamer deed Lubberding opnieuw stretchoefeningen, hoewel het nut ervan nooit is bewezen. Maar Henk geloofde nu eenmaal in dit ritueel.

Het scheren van de benen is een apart verhaal. Volgens wereldkampioen Theo Middelkamp (87) werden de benen van de renners voor de oorlog nooit geschoren. Er waren wel een paar renners die hun haren van de benen schoren, omdat ze vonden dat ze er dan beter uitzagen. Middelkamp deed daar niet aan mee. Hij vond het flauwekul. De massage-olie werd gewoon over de haren gewreven.

Pas na de oorlog, toen de soigneurs een steeds belangrijker positie gingen innemen, werd het scheren van de benen gemeengoed. Cavanna, de beroemde blinde masseur van Fausto Coppi, verklaarde dat hij de benen van Fausto nooit masseerde zonder dat ze gladgeschoren waren. En wat Cavanna in die dagen zei, was min of meer wet.

Er werd ook een medische reden gevonden voor

het scheren van de benen. Bij het masseren zouden licht haartjes worden uitgetrokken, waardoor ontstekingen in de haarwortels konden ontstaan. Veel renners weigerden echter pertinent één dag voor de wedstrijd nog hun benen te scheren. Ze geloofden dat dan hun kracht uit de benen zou wegvloeien.
Er was wel een enkele uitzondering. De klimmer Peter Winnen schoor voor een eendaagse wedstrijd juist wel zijn benen, want dat vond hij een vorm van concentratie.
Ook poetste Winnen de dag voor een koers altijd zelf zijn fiets. Dat liet hij niet over aan een mecanicien. Op die manier leefde hij naar de wedstrijd toe.
Geloof en bijgeloof. Miguel Indurain bezocht altijd, voordat hij naar de Tour vertrok, het beeld van de Virgen del Rosario, de patrones van zijn geboortedorp Villava. En als hij gewonnen had, legde Indurain bij terugkeer in Villava meteen zijn gele trui aan de voeten van Virgen.
Greg LeMond vertrok nooit in een Touretappe zonder eerst een kruisteken over zijn borst te maken. Greg stond bij de start meestal met gevouwen handen en gebogen hoofd.
Hij had een sterk ontwikkeld godsvertrouwen. En hij droeg het zodanig uit dat de sportkrant *L'Equipe* in Parijs na zijn derde Tourzege blokletterde: 'Is God dan toch een Amerikaan?'
De Fransman Martial Gayant, geletruidrager in de Tour, deed in 1989 een beroep op professor Demasougnes van de universiteit in Genève. Gayant was een sterke coureur in vlakke ritten, maar zodra hij in de verte een berg ontwaarde, sloeg de schrik verlammend in zijn benen.
De Zwitserse professor behandelde Gayant elke avond in zijn hotelkamer. Hij vertelde onder andere dat de Tour de mooiste momenten in de bergen beleefde en dat Gayant zichzelf moest inprenten dat hij daarbij zou zijn. Zodra de bergen eraan kwamen, prevelde Gayant voortaan op gezag van de professor op zijn fiets dat hij van de bergen hield en dat hij de heroïsche veldslagen in de cols bewonderde. Martial Gayant overwon zijn vrees en finishte in Parijs als 32ste. Niet slecht voor een niet-klimmer.
Michael Boogerd piekert er niet over ergens van start te gaan zonder het gouden klavertje om zijn hals.
Jan Ullrich is een in zichzelf gekeerde jongen. Maar hij is (bij)gelovig. Voor elke start kust hij het gouden kruisje dat aan een kettinkje op zijn borst bengelt. Hij is nooit gedoopt, noch religieus opgevoed. Hij is nooit in de kerk geweest, want in de DDR, waar hij is opgegroeid, was religie geen populair item. Maar onder invloed van zijn vriendin Gabi spreekt 'Der Jan' tegenwoordig over geloof. Hij heeft zelfs een kerkdienst bezocht.
Het kussen van het gouden kruisje bij de start van een koers is natuurlijk geen garantie voor voorspoed. Maar het werkt wel bijzonder heilzaam op de psyche van Duitslands populairste sportidool.

'Mondriaan' in de ploegentijdrit in Libourne, Tour de France 1992.
De ploegentijdrit werd als vanouds gewonnen door een formatie van Peter Post, Panasonic.

Eddy Bouwmans na de ploegentijdrit, Tour de France 1992.
Bouwmans, die deel uitmaakte van de winnende Panasonic-ploeg, reed een veelbelovende eerste Tour. Hij pakte de witte trui voor de beste jonge renner en eindigde als 14de. Hij bleek later echter niet meer in staat deze prestatie te benaderen.

Het peloton trekt over de Cauberg, Tour de France 1992.
De passage door Zuid-Limburg in de Tour van 1992 groeide uit tot een waar volksfeest. Meer dan een miljoen mensen stonden langs de weg om de renners aan te moedigen. Winnaar in Valkenburg werd de Fransman Gilles Delion.

Een ontspannen Miguel Indurain is klaar voor de tijdrit Tours-Blois, Tour de France 1992.
Indurain was inmiddels uitgegroeid tot de beste tijdrijder van zijn generatie. In de tijdritten legde hij telkens de basis voor zijn Tourzeges; zo ook in 1992. Zijn berekenende manier van rijden deed enigszins denken aan Jacques Anquetil.

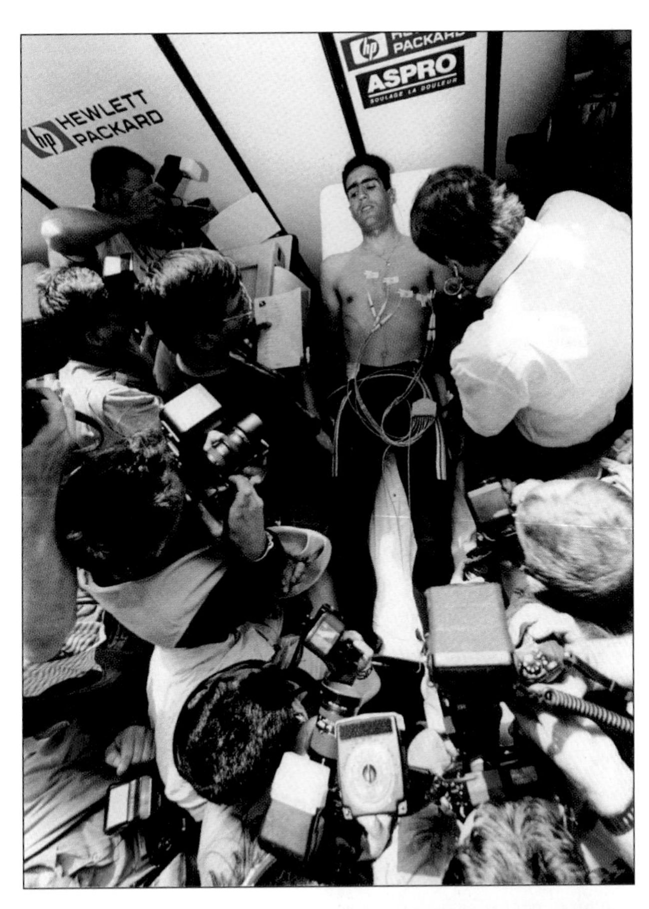

Indurain wordt medisch gekeurd voor de start van de Tour de France 1993.
Miguel Indurain had het lichaam van een kampioen. Hij beschikte over een longinhoud van 7,8 liter en zijn polsslag in rust was 28. Op de ergometer leverde hij een vermogen van 550 watt.

De martelgang van de sprinters: Mario Cipollini in de klim naar Isola, 11de etappe Tour de France 1993.
De playboy uit Lucca had in zijn tweede Tour een etappe gewonnen en een dag in het geel gereden. In de etappe naar Isola vond hij zijn Waterloo. Hij kwam buiten de tijdcontrole binnen en moest de ronde verlaten, waar hij overigens geen traan om liet. Afzien is niets voor 'mooie Mario'.

Fabio Roscioli in een lange ontsnapping op weg naar Marseille, Tour de France 1993.
De Italiaan durfde in de Zuid-Franse hitte een lange solo aan en won zijn enige Touretappe.

De azen van de Tour de France 1993 in de etappe Perpignan-Andorra.
Tony Rominger, Alvaro Mejia, Miguel Indurain, Bjarne Riis, Richard Virenque en Pedro Delgado zijn in achtervolging op de Colombiaan Oliverio Rincón, die de etappe zal winnen. Links op de achtergrond is Zenon Jaskula zichtbaar.
Jarenlang was Tony Rominger in de Tour gehandicapt door zijn aanleg voor hooikoorts. In 1993 had de Zwitser zijn allergie overwonnen en werd hij prompt de belangrijkste concurrent van Indurain. Hij won twee bergetappes en het bergklassement; hij wist Indurain zelfs in een tijdrit te verslaan.
Jaskula, die de etappe naar St. Lary Soulan zou winnen, eindigde in deze Tour als derde. De zwijgzame Pool placht zijn ploeggenoten in het hotel te vermaken door het eten van glas.

Claudio Chiappucci in de afdaling van de Tourmalet, Tour de France 1993. Hij wint de etappe Tarbes-Pau. *De kleine man uit het Noord-Italiaanse Uboldo had met een derde plaats in 1991 en een tweede plaats in 1992 aangetoond dat zijn hoge klassering in 1990 geen toevalstreffer was geweest. Bovendien werd Chiappucci met zijn drieste, tomeloos aanvallende manier van rijden de lieveling van het publiek. In 1993 begon het verval van Chiappucci zich al enigszins af te tekenen. In het eindklassement werd hij slechts zesde.*

Massale valpartij tijdens de massasprint in Armentières, eerste etappe Tour de France 1994. *Een politieman die op de weg stond om een foto te maken van de aanstormende helden, maakte niet tijdig het parcours vrij. De gevolgen waren rampzalig. Laurent Jalabert, Wilfried Nelissen, Fabio Fontanelli en Aleksandr Gontsjenkov kwamen zwaar ten val. De sprint werd gewonnen door Djamolidine Abdoesjaparov, die Olaf Ludwig versloeg.*

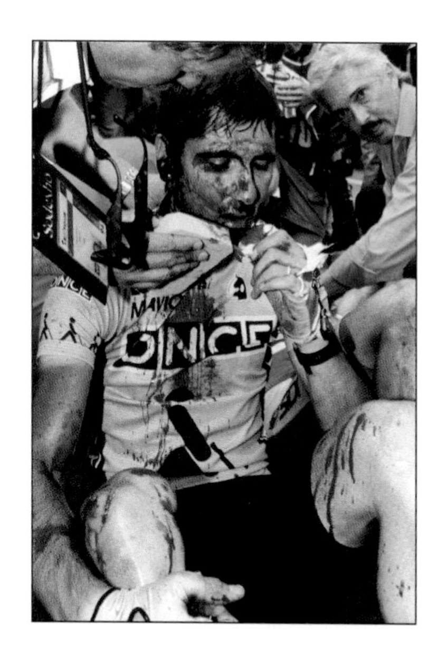

Laurent Jalabert na zijn val in Armentières, Tour de France 1994.
De snelle Fransman was na deze val geruime tijd uitgeschakeld. Zijn mond werd dichtgenaaid en hij moest kunstmatig gevoed worden. Na een herstelperiode van een half jaar keerde Jalabert als een herboren renner in het peloton terug. Vóór zijn ongeval was hij een sprinter; na zijn ongeval was hij een allround coureur.

Miguel Indurain, Luc Leblanc en Vladimir Poelnikov op Alpe d'Huez, 16de etappe Tour de France 1994.
In de Tour van 1994 liet Indurain voor één keer zijn defensieve manier van rijden varen. In de klim naar Hautacam zette hij met zijn ploeggenoten van Banesto de 'trein naar de hel' in gang, die een moordend tempo ontwikkelde toen Indurains concurrenten Rominger en Chiappucci in moeilijkheden waren. Luc Leblanc kon als enige aan Indurains wiel blijven en won de etappe. Op Alpe d'Huez was de Italiaanse veteraan Roberto Conti de sterkste. Het was echter de Let Pjotr Oegroemov die het Indurain in deze Tour het moeilijkst maakte en hem zelfs in de tijdrit naar Avoriaz versloeg.

Djamolidine Abdoesjaparov, Miguel Indurain en Richard Virenque in Eurodisney bij de start van de laatste etappe van de Tour de France 1994.
'Abdoe' won in 1994 voor de derde maal het puntenklassement. De Oezbeekse kamikazepiloot, die in de sprints vaak alle kanten op slingerde, won in totaal negen etappes in de Tour. De in Frankrijk uiterst populaire Virenque ontpopte zich vanaf het begin als een klimmer pur sang. In 1994 won hij de etappe naar Luz-Ardiden en veroverde hij voor het eerst de bolletjestrui. Daarmee zorgde hij met Luc Leblanc voor een opleving in een overigens uiterst magere periode voor het Franse wielrennen.

Jeroen Blijlevens wint de etappe in Duinkerken, Tour de France 1995.
Met het jonge talent Jeroen Blijlevens had Nederland weer een renner in huis die in snelheid met de besten kon wedijveren. Dit zou de eerste van een reeks van vier Tours worden waarin Blijlevens één etappe won.

Alex Zülle wint op La Plagne, Tour de France 1995.
*Na een paar mindere jaren meldde Zülle zich in 1995 weer in het voorste gelid. Deze keer groeide hij uit tot 'the best of the rest' achter Indurain.
Zülle is vooral bij slecht weer gehandicapt door zijn bijziendheid. Mede daardoor was hij vaak het slachtoffer van valpartijen. In 1995 bleef zulke tegenslag hem bespaard.*

Marco Pantani op Alpe d'Huez, Tour de France 1995.
In 1994 verscheen in de Giro en de Tour een kleine kalende gedaante met grote oren; hij droeg als bijnamen 'de Piraat' en 'het Olifantje'. Deze Marco Pantani leek een renner uit vervlogen tijden: een klimmer die in staat was om bergop zoveel verschil te maken dat hij in de grote ronden mee kon spelen om de overwinning. In de Giro was hij als tweede geëindigd, in de Tour als derde. In 1995 had hij door een ongeluk de Giro gemist en bereikte hij in de Tour slechts de 13de plaats in het eindklassement. Hij won wel twee Touretappes, waaronder die naar Alpe d'Huez. In oktober 1995 zou hij tijdens de semi-klassieker Milaan-Turijn door een jeep geschept worden. Hij was bijna een jaar uit roulatie.

Dokter Gerard Porte verleent eerste hulp aan Fabio Casartelli, etappe St. Girons-Cauterets, Tour de France 1995.
Fabio Casartelli, de Olympisch kampioen van Barcelona 1992, kwam in de afdaling van de Col de Portet d'Aspet ten val en sloeg met zijn hoofd tegen een muur. Hij werd met spoed per helikopter afgevoerd, maar overleed korte tijd later in het ziekenhuis van Tarbes.

Miguel Indurain, Motorola-ploegleider Jim Ochowicz en ploeggenoot Frankie Andrew herdenken Fabio Casartelli vóór de start van de bergetappe Tarbes-Pau, Tour de France 1995.
De verslagenheid in het peloton was groot. Casartelli was het eerste sterfgeval van een renner in de Tour sinds Simpson in 1967 (en het vierde in totaal). De etappe naar Pau werd in wandeltempo afgelegd; de ploeg van Motorola, waar Casartelli deel van had uitgemaakt, mocht als eerste de finish passeren.

Brabant wordt rupsvrij gemaakt voor de start van de Tour de France 1996.
De start van de Tour in Den Bosch werd bemoeilijkt door het slechte weer en door een plaag van processierupsen; de haren van deze beestjes werken bijzonder irriterend op de menselijke huid. Met man en macht werd gewerkt om de overlast voor de passerende renners te beperken.
Wellicht geïnspireerd door de start in eigen huis, beleefden de Nederlanders een succesvolle Tour. Er waren etappezeges voor Jeroen Blijlevens, Michael Boogerd en Bart Voskamp.

Johan Bruyneel gevallen in de afdaling van de Cormet de Roselend, Tour de France 1996.
De etappe Chambery-Les Arcs was een van de meest bewogen etappes in de recente Tourhistorie. Tourfavoriet Laurent Jalabert werd al in het begin van de rit geplaagd door darmklachten en zou twee dagen later de ronde verlaten. Klassementsleider Stephane Heulot kwam wegens een pijnlijke knie de Cormet de Roselend niet meer op en stapte in tranen af. Hij was de 12de renner in de historie die in de gele trui uitviel. In de afdaling van deze berg kwam Alex Zülle in de stromende regen een paar maal ten val. Johan Bruyneel, de Belg uit de Nederlandse Rabobank-ploeg, duikelde in een ravijn, maar klauterde er ongedeerd weer uit en kon zelfs de rit uitrijden. Luc Leblanc won de etappe na een schitterende aanval; Evgeni Berzin pakte de gele trui.

Evgeni Berzin in de gele trui tijdens de klimtijdrit naar Val d'Isère, Tour de France 1996.
De zelfverzekerde Rus was in 1994 als een komeet aan het firmament verschenen met overwinningen in Luik-Bastenaken-Luik en de Ronde van Italië. Na een valse start in de Tour van 1995 leek hij in 1996 klaar voor een podiumplaats. Rijdend in de gele trui won hij de klimtijdrit naar Val d'Isère met overmacht. Hij was zijn leiderstrui echter snel weer kwijt en beëindigde de Tour uiteindelijk als 20ste. Vanaf dat moment is het met de prestaties van de in het beruchte wielerinternaat van Aleksandr Koeznetsov geschoolde Berzin alleen maar bergaf gegaan.

Wisseling van de wacht in de Tourheerschappij: Miguel Indurain en Bjarne Riis, etappe Brive-Villeneuve-sur-Lot, Tour de France 1996.
Hoewel de etappe Val d'Isère-Sestrières wegens winterse omstandigheden op de Col du Galibier aanzienlijk moest worden ingekort, was de resterende 46 km lang genoeg voor Bjarne Riis om een beslissende aanval te plaatsen en de gele trui te pakken; hij zou deze niet meer afstaan. Tot ieders verbazing speelde Indurain, die weer als grote favoriet was gestart, in deze Tour geen rol van betekenis. Hij kon zelfs geen tijdrit meer winnen en eindigde als 11de. Indurain begreep dat zijn tijdperk voorbij was. Hij werd in Atlanta nog wel olympisch kampioen in de tijdrit, maar belegde begin 1997 een persconferentie. "Ik stop" waren zijn kernachtige woorden.

Riis wint de etappe naar Hautacam, Tour de France 1996.
Meer nog dan de etappe naar Sestrières was de klim naar Hautacam bij Lourdes een bewijs van Riis' meesterschap. In deze etappe, waarin hij uitstekend werd ondersteund door zijn veelbelovende ploeggenoot Jan Ullrich, declasseerde hij al zijn concurrenten.
Een mooie apotheose van de carrière van een laatbloeier, die jarenlang als naamloze knecht van Laurent Fignon in diens nadagen had rondgereden, terwijl hij in zijn tweede vaderland Luxemburg aanvankelijk in een caravan woonde en op het bestaansminimum leefde. Na zijn Tourzege werd Bjarne Riis een van de grootverdieners in het peloton.

Bjarne Riis en zijn vrouw Mette bij de huldiging na Riis' Tourzege, 1996.
Honderdduizenden Denen verzamelden zich om de eerste Deense Tourwinnaar toe te juichen.

Jan Ullrich en Richard Virenque rijden als door de duivel bezeten in de etappe naar Courchevel, Tour de France 1997. *Ook in zijn tweede Tour startte Ullrich aanvankelijk als knecht van Bjarne Riis. Maar al snel bleek dat de jonge Duitser sterker was dan zijn kopman. In de etappe naar Arcalis nam Ullrich zijn eigen kans en liet zelfs erkende klimmers als Pantani (nog herstellende van zijn auto-ongeluk) en Virenque achter zich. Deze mannen zouden Ullrich uiteindelijk vergezellen op het podium.*

Ullrich in de sportschool, 1997. *Jan Ullrich is een van de laatste representanten van het strenge sportregime van de voormalige DDR. De opleiding onder leiding van zijn coach Peter Becker legde een solide basis voor een wielercarrière op het hoogste niveau. Deze basis werd verder uitgebouwd in de professioneel gestructureerde Telekom-ploeg, waar hij toegang kreeg tot de modernste trainingsfaciliteiten.*

Jan Ullrich als bekende Duitser: met Boris Becker bij de opening van een tentoonstelling, 1997.
De Tourzege van Jan Ullrich zorgde in Duitsland voor 'Ullrichmania'; prompt werd in Duitsland het wielrennen een populaire sport op het niveau van tennis en Formule 1. Ook ontstond rond Ullrich een ongekende mediahype. Duitse verslaggevers achtervolgden 'der Jan' overal, tot op het toilet aan toe. Ullrich had grote moeite met deze massale belangstelling en probeerde zich zo veel mogelijk voor de pers af te sluiten.

Bart Voskamp en Jens Heppner in hun sprint in Dijon, Tour de France 1997.
Voskamp kwam als eerste over de streep, maar beide renners werden wegens onreglementair sprinten gedeclasseerd. De Italiaan Traversoni, die een halve minuut later de finish bereikte, werd tot zijn eigen verbazing tot etappewinnaar uitgeroepen.

'It's life, but not as we know it.' Abraham Olano in buitenaardse uitdossing in de tijdrit rond Eurodisney, Tour de France 1997.
De Spanjaard, die in 1995 wereldkampioen op de weg werd, is een uitmuntend tijdrijder, maar komt in het hooggebergte vaak tekort. In de tijdrit bij Eurodisney versloeg hij Ullrich en kwam hij dicht bij het podium: in het algemeen klassement werd hij vierde.

De Tour in de Ierse heuvels, eerste etappe Tour de France 1998.
Dankzij een sterke lobby onder leiding van oud-winnaar Stephen Roche sloeg de Tour voor de eerste drie dagen van de editie van 1998 zijn kamp in Ierland op.

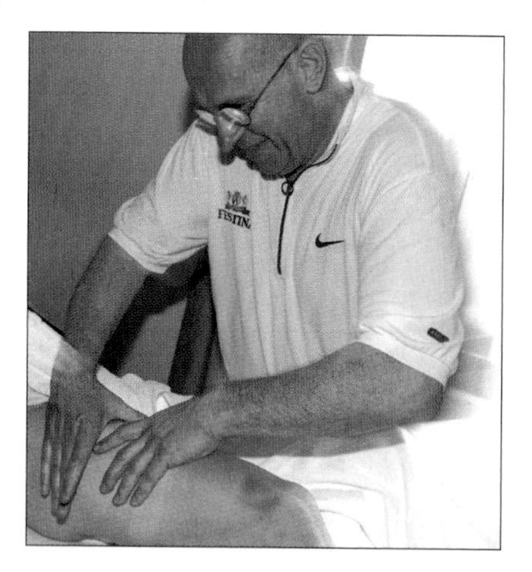

Willy Voet aan het werk.
Daags voor de start van de Tour de France 1998 werd de Belgische soigneur van de Festina-ploeg, Willy Voet, bij de Belgisch-Franse grens aangehouden met een grote hoeveelheid stimulerende middelen in zijn auto. De verklaringen van Voet tijdens de verhoren door de politie openden een beerput wat betreft dopinggebruik door de Festina-ploeg. Het was het begin van een ongekend dopingschandaal, dat de Tour op zijn grondvesten deed schudden.

Politiemensen doorzoeken de auto's van de Festina-ploeg vóór de vierde etappe, Tour de France 1998.
De Tour van 1998 werd gekenmerkt door een ongemeen felle speurtocht van de Franse justitie naar verboden middelen in het wielermilieu. Het onderzoek naar de praktijken bij Festina leverde zoveel belastend materiaal op dat de Tourdirectie besloot de gehele ploeg uit de ronde te verwijderen. Renners van naam als Virenque, Zülle (die dat jaar naar Festina was overgestapt), Dufaux en wereldkampioen Brochard werden op het politiebureau verhoord; sommigen van hen moesten in de cel overnachten. Later in de Tour werd ook het Nederlandse TVM onderwerp van verdenking. Ploegleider Cees Priem, ploegarts Andrej Michailov en verzorger Jan Moors werden gearresteerd; de gedemoraliseerde formatie verliet eveneens de ronde.

Michael Boogerd, Jan Ullrich, Christophe Rinero, Fernando Escartin en Bobby Julich in de achtervolging op Marco Pantani in de klim naar Plateau de Beille, Tour de France 1998.
Temidden van de tumultueuze gebeurtenissen in de ronde van 1998 reed Michael Boogerd de Tour van zijn leven. In het hooggebergte kon hij zich regelmatig met de besten meten, en hij eindigde in Parijs als vijfde. Jan Ullrich leek door het al dan niet gedwongen vertrek van vele concurrenten in een zetel naar zijn tweede Tourzege te rijden, maar de overwinning van Pantani in de Pyreneeën-etappe naar Plateau de Beille was een eerste indicatie van de snode plannen van de kleine Italiaan. De tamelijk onbekende Amerikaan Julich eindigde in deze Tour verrassend als derde.

Vader en zoon Merckx vóór de start van de etappe naar Les Deux Alpes, Tour de France 1998.
Het sterke rijden van Axel Merckx was een van de lichtpuntjes in deze donkere ronde. Hij eindigde in het algemeen klassement als tiende.

Marco Pantani demarreert op de Galibier in de etappe naar les Deux Alpes, Tour de France 1998.
Met zijn fantastische exhibitie in de etappe naar Les Deux Alpes redde Marco Pantani in sportief opzicht de Tour van 1998. Onder barre weersomstandigheden reed hij op de Col du Galibier weg van Ullrich, die vervolgens ook nog met materiaalpech te maken kreeg. In de laatste klim verloor de gedemoraliseerde Duitser bijna negen minuten op Pantani, die als eerste Italiaan sinds Gimondi in 1965 de Tour won. Eerder in hetzelfde jaar had Pantani ook al de Giro op zijn naam geschreven. Ironisch genoeg beleefde Pantani zijn eigen dopingschandaal in de Giro van 1999. Eén dag voor het einde van die ronde werd Pantani in gewonnen positie uit de strijd genomen wegens een te hoog hematocrietgehalte van zijn bloed.

Marco Pantani tijdens de rennersstaking in de etappe Albertville-Aix-les-Bains, Tour de France 1998.
Toen ook de TVM-ploeg aan een hardhandig onderzoek van de Franse justitie werd onderworpen, was voor het peloton de maat vol. In het begin van de etappe naar Aix-les-Bains verwijderden de renners hun rugnummers en maakten pas op de plaats. Uiteindelijk vervolgden zij de etappe in wandeltempo om met de TVM-coureurs voorop over de streep te komen. De etappe werd geannuleerd en de TVM-ploeg vertrok later uit de Tour.

Het peloton trekt over de Passage du Gois, tweede etappe Tour de France 1999.
De Passage du Gois is een weggetje dat het schiereiland Noirmoutier met de Atlantische kust van Frankrijk verbindt. Het keienpaadje is alleen bij eb begaanbaar. De glibberige weg zorgde voor veel valpartijen en brak het peloton in tweeën. De achterblijvers, onder wie Zülle en Boogerd, verloren veel tijd.
De Tour van 1999 startte zonder uitgesproken favorieten, omdat Tourwinnaar Pantani nog volop in de nasleep van zijn dopingperikelen in de Giro zat en Ullrich door een val in de Ronde van Duitsland geblesseerd was geraakt.

Mario Cipollini verschijnt als Julius Caesar op een zegekar voor de start van de etappe Le Grand Bornand-Sestrières, Tour de France 1999.
De geboren showman had in de eerste week van de Tour vier etappes achter elkaar gewonnen, wat sinds de Tour van 1930 (Charles Pélissier) niet meer was voorgekomen. Aanleiding voor een ludieke actie.

Lance Armstrong op weg naar de overwinning in Sestrières, 9de etappe Tour de France 1999.
Lance Armstrong was op jonge leeftijd al een sterke renner, vooral in eendagswedstrijden. Bij zijn Tourdebuut in 1993 won hij meteen een etappe; later dat jaar werd hij in Oslo wereldkampioen. In 1996 werd hij getroffen door teelbalkanker die tot zijn hersenen en longen was uitgezaaid. Hij leek ten dode opgeschreven. Armstrong weigerde toe te geven aan het noodlot. Niet alleen herstelde hij van zijn ziekte, hij keerde zelfs terug in de wedstrijdsport. In 1999 bleek hij een veel completere renner te zijn dan vóór zijn aandoening. In de Tour won hij de proloog en declasseerde het hele veld in de tijdrit rond Metz. In de etappe naar Sestrières bleek hij ook in het hooggebergte een klasse apart.

Geel, geel, geel… Lance Armstrong in de leiderstrui tussen de zonnebloemen, etappe Castres-St. Gaudens, Tour de France 1999.

Lance Armstrong en zijn vrouw Kristen worden na Armstrongs Tourzege ontvangen door president Clinton, augustus 1999.
Armstrong werd na LeMond de tweede Amerikaanse Tourwinnaar in de geschiedenis.

Lance Armstrong ontvangt de 'Courage Award' van het blad GQ uit handen van topmodel Cindy Crawford, 21 oktober 1999.
Het verhaal van Armstrongs terugkeer na zijn ziekte en zijn daaropvolgende overwinning in de zwaarste wielerwedstrijd ter wereld spraken velen tot de verbeelding.

De Telekom-ploeg nadert de brug van St. Nazaire in de ploegentijdrit, Tour de France 2000.
De brug was een serieus obstakel in de tijdrit van Nantes naar St. Nazaire, die gewonnen werd door de ONCE-ploeg. Jalabert pakte de gele trui.

Leon van Bon wint in Tours, Tour de France 2000.
Van Bon was de sterkste in de sprint van een groepje vluchters, van wie Alberto Elli de gele trui pakte. De man uit Apeldoorn had ook in 1998 al een Touretappe gewonnen.

Lance Armstrong alleen in de achtervolging op Javier Otxoa, etappe Dax-Hautacam, Tour de France 2000.
In de zwaarste Pyreneeën-etappe leverde Armstrong opnieuw een formidabele prestatie. Aan de voet van de klim naar Hautacam demarreerde hij uit een ijzersterke groep met onder anderen Ullrich en Pantani. Dansend op zijn kenmerkende lichte verzet reed Armstrong al zijn concurrenten op grote achterstand. De Spanjaard Otxoa, die de hele dag voorop had gereden, hield van zijn grote voorsprong aan de finish nog een handvol seconden over. Armstrong pakte het geel en won hier in feite de Tour.

Erik Dekker en Santiago Botero in de etappe naar Revel, Tour de France 2000.
Erik Dekker, die sinds zijn zilveren medaille bij de Olympische Spelen in Barcelona als een talent gold, kwam in deze Tour volledig tot bloei. Hij won drie etappes. In Revel boekte hij zijn tweede zege door na een lange ontsnapping zijn Colombiaanse medevluchter Botero te verslaan. Botero, lid van de in deze Tour bijzonder succesvolle Kelme-formatie, reed ook een uitstekende Tour. Hij zou later zelf een etappe winnen en werd tevens winnaar van het bergklassement.

Marco Pantani demarreert als vanouds op de Mont Ventoux, Tour de France 2000. Heras, Ullrich en Armstrong kunnen niet volgen.

Hoewel Armstrong even later op indrukwekkende wijze zou aansluiten, won Pantani de etappe. Na een lange afwezigheid was Pantani in de Tour van 2000 bijna op zijn oude niveau. Hij won nog een etappe, maar zou de Tour niet uitrijden.

Michael Boogerd op de Mont Ventoux, Tour de France 2000.

Voor Boogerd was deze Tour net als het jaar daarvoor grotendeels een lijdensweg. Uiteindelijk viel hij uit na een zware valpartij.

'ROBOT' UIT DE DDR KAMPIOEN VAN DE EXPLOSIEVE MACHT

Kamikazepiloten zonder vrees

'robot' kampioen van

Op zijn tiende wordt Erik Zabel door de staat gerekruteerd. Hij belandt in het drilsysteem en heeft daardoor een armzalige jeugd. Van 's ochtends vroeg tot in de avonduren: discipline. Ordnung! Vroeg het licht uit en slapen. Geen televisiekijken. De kinderen, die ervan verdacht worden enig talent te hebben ooit topsporter te worden, houden zich in de DDR psychisch op de been met het koesteren van de gedachte dat ze ooit wellicht het IJzeren Gordijn mogen passeren en in het Westen een T-shirt kunnen kopen, een mooi horloge, een walkman en modieuze schoenen. Sommige robots van de staat, onder wie Zabel, overleven wonderwel.

Als in 1989 de Muur in Berlijn valt, gaat voor Erik Zabel een andere wereld open. Hij is twintig en beschikt als wielrenner over een geducht wapen: zijn sprint. Een profcontract en welstand lonken.

Hij verhuist van Fröndenberg ten oosten van Berlijn naar Unna bij Dortmund, sticht een leuk gezin en wordt de succesvolste sprinter van zijn generatie. Acht etappezeges in de Tour de France en vijf groene truien als winnaar van het puntenklassement. Hij is inmiddels enkele malen miljonair.

Maar Erik Zabel heeft geen mark van zijn kapitaal gestolen. Zelden heeft een renner zo hard gewerkt om aan de top te komen en er te blijven. Toen hij in maart 2001 zijn vierde Milaan-San Remo won – vanzelfsprekend na een vlijmscherpe sprint – had hij in de wintermaanden 18.000 kilometer getraind.

Natuurlijke aanleg, maar vooral ook werklust en intelligentie hebben van Erik Zabel een topsprinter gemaakt. Want hij was zo slim op wielerbanen zijn sprint aan te scherpen en op de weg veel bergop te trainen. Als de mannen met de 'snelle benen' bergop afhaken, zit Zabel gewoon tussen de wielen. Deze eigenschap maakt hem in de Tour bijna onklopbaar voor het puntenklassement. Maar het heeft wel tot gevolg dat hij de laatste jaren in etappes over vlakke parcoursen, wegens het ontwikkelen van andere beenspieren, nogal eens op pure snelheid verslagen wordt.

Zijn zege in de wereldbeker van 2000 betekende echter het brevet van vermogen van een topcoureur.

Wie zijn die sprinters? De kamikazemannen die met ware doodsverachting met 65 kilometer per uur stuur-aan-stuur hun leven en lichamelijk welzijn op het spel zetten?

Het zijn de kampioenen van de explosieve macht, de mannen zonder vrees, Hun namen? Cipollini, Steels, Blijlevens, Minali, Svorada, Guidi, Edo, Casper, natuurlijk Zabel, en nog een tiental.

Ten minste veertig procent van de Touretappes eindigt in massasprints, ondanks het feit dat de Tourdirectie meer en meer bergachtige streken opzoekt. In het wielrennen moet een renner - als hij geld wil verdienen - een specialiteit hebben. Of je bent klimmer, of tijdrijder of sprinter. De eindwinnaars zijn klimmers én tijdrijders.
De sprinters hebben door de jaren heen een spoor van opwinding door de geschiedenis van de ronde getrokken. De massasprints zijn soms adembenemend. De meest succesvolle sprinter in de Tour de France is de Fransman André Darrigade. Hij won dankzij zijn snelheid 22 etappes. Dédé Darrigade sprintte ook nog elf keer naar de tweede plaats en vijf keer naar de derde. Liefst vijf keer won Darrigade de openingsetappe van de ronde, waardoor hij telkens in de gele trui fietste.
De prestatie van een ander Fransman, Charles Pélissier, zal wel nooit meer verbeterd worden. In de Tour van 1930 eindigde Pélissier in 18 van de 21 etappes bij de drie eersten. Hij won in die ronde acht etappes, finishte zeven keer als tweede en drie keer als derde.
Pélissier staat in het 'eeuwige' klassement van de sprinters met zestien gewonnen etappes op de tweede plaats achter André Darrigade.
Van de moderne sprinters is de opmars van de Italiaan Mario Cipollini (12 gewonnen etappes) en de Belg Tom Steels (10 etappes) opvallend. 'Cipo' deelt in het 'eeuwige' klassement de vierde plaats met de Belgische oud-wereldkampioen Jean Aerts. En Tom Steels is op de gedeelde zesde plaats op gelijke hoogte gekomen met klassiekerkoning Jan Raas en Walter Godefroot.
Erik Zabel, de huidige koning van de sprinters, is intussen geheel verwesterd. Hij is opgegroeid in de asgrauwe betonnen burcht van appartementsgebouwen in Oost-Berlijn en woont nu in een mooie villa in Unna. Hij gaat westers gekleed, rijdt in een westerse auto en hij heeft zijn enige zoon, Rik, die op de Champs-Elysées op het podium bij de huldiging steevast stralend op zijn schouder zit, genoemd naar de voormalige Belgische kampioenen Rik van Steenbergen en Rik van Looy.
Het geheim van deze atleet uit de kinder-robot-sportcentra van de DDR is dat hij in een finale met een hartritme van 207 slagen per minuut kan rijden. Het zijn sterke harten die zo'n weelde kunnen dragen.

Lance Armstrong en Jan Ullrich in de straten van Lausanne waar Erik Dekker zijn derde ritzege zal behalen, 16de etappe Tour de France 2000.
De confrontatie tussen Armstrong en een fitte Jan Ullrich werd met spanning tegemoet gezien. Zowel in de bergen als in de tijdritten was Armstrong duidelijk de sterkste. Ullrich was pas op het eind van het seizoen in topvorm. In Sydney werd hij olympisch kampioen op de weg; in de tijdrit werd hij tweede achter Ekimov en vóór Armstrong.

Erik Zabel met zoontje Rik in Parijs na het behalen van zijn vijfde groene trui, Tour de France 2000.
De Duitser vestigde hiermee een absoluut record. Van alle topsprinters verteert hij de bergen het best, waardoor hij tot in de laatste fase van de Tour zijn punten kan pakken. Op basis van deze kwaliteiten heeft Zabel zich inmiddels ontwikkeld tot een renner die ook in de klassiekers serieus meedoet. In 2000 won hij het Wereldbekerklassement; in maart 2001 boekte hij zijn vierde overwinning in vijf jaar in Milaan-San Remo.

Feiten en cijfers

1903
Tour nummer: 1
Aantal etappes: 6
Lengte: 2428 km
Tourwinnaar: Maurice Garin (Fra), 94u33'
Nr. 2: Lucien Pothier (Fra), op 2u49'45"
Nr. 3: Fernand Augereau (Fra), op 4u29'38"
Aantal deelnemers: 60
Aantal renners in Parijs: 21
Winnaar ploegenklassement: La Française

1904
Tour nummer: 2
Aantal etappes: 6
Lengte: 2428 km
Tourwinnaar: Henri Cornet (Fra), 96u5'55"
Nr. 2: Jean-Baptiste Dortignacq (Fra), op 2u16'14"
Nr. 3: Aloïs Catteau (Bel), op 8u7'20"
Aantal deelnemers: 88
Aantal renners in Parijs: 15
Winnaar ploegenklassement: La Française

1905
Tour nummer: 3
Aantal etappes: 11
Lengte: 2994 km
Tourwinnaar: Louis Trousselier (Fra), 35 ptn.
Nr. 2: Hippolyte Aucouturier (Fra), 61 ptn.
Nr. 3: Jean-Baptiste Dortignacq (Fra), 64 ptn.
Aantal deelnemers: 60
Aantal renners in Parijs: 24
Winnaar ploegenklassement: Peugeot

1906
Tour nummer: 4
Aantal etappes: 13
Lengte: 4545 km
Tourwinnaar: René Pottier (Fra), 31 ptn.
Nr. 2: George Passerieu (Fra), 39 ptn.
Nr. 3: Louis Trousselier (Fra), 59 ptn.
Aantal deelnemers: 75
Aantal renners in Parijs: 14
Winnaar ploegenklassement: Peugeot

1907
Tour nummer: 5
Aantal etappes: 14
Lengte: 4452 km
Tourwinnaar: Lucien Petit-Breton (Fra), 47 ptn.
Nr. 2: Gustave Garrigou (Fra), 66 ptn.
Nr. 3: Emile Georget (Fra), 74 ptn.
Aantal deelnemers: 93
Aantal renners in Parijs: 33
Winnaar ploegenklassement: Peugeot

1908
Tour nummer: 6
Aantal etappes: 14
Lengte: 4488 km
Tourwinnaar: Lucien Petit-Breton (Fra), 36 ptn.
Nr. 2: François Faber (Lux), 68 ptn.
Nr. 3: George Passerieu (Fra), 75 ptn.
Aantal deelnemers: 110
Aantal renners in Parijs: 36
Winnaar ploegenklassement: Peugeot

1909
Tour nummer: 7
Aantal etappes: 14
Lengte: 4497 km
Tourwinnaar: François Faber (Lux), 37 ptn.
Nr. 2: Gustave Garrigou (Fra), 57 ptn.
Nr. 3: Jean Alavoine (Fra), 66 ptn.
Aantal deelnemers: 150
Aantal renners in Parijs: 55
Winnaar ploegenklassement: Alcyon

1910
Tour nummer: 8
Aantal etappes: 15
Lengte: 4644 km
Tourwinnaar: Octave Lapize (Fra), 63 ptn.
Nr. 2: François Faber (Lux), 67 ptn.
Nr. 3: Gustave Garrigou (Fra), 86 ptn.
Aantal deelnemers: 110
Aantal renners in Parijs: 41
Winnaar ploegenklassement: Alcyon

1911
Tour nummer: 9
Aantal etappes: 15
Lengte: 5334 km
Tourwinnaar: Gustave Garrigou (Fra), 43 ptn.
Nr. 2: Paul Duboc (Fra), 61 ptn.
Nr. 3: Emile Georget (Fra), 84 ptn.
Aantal deelnemers: 84
Aantal renners in Parijs: 28
Winnaar ploegenklassement: Alcyon

1912
Tour nummer: 10
Aantal etappes: 15
Lengte: 5319 km
Tourwinnaar: Odile Defraye (Bel), 49 ptn.
Nr. 2: Eugène Christophe (Fra), 108,5 ptn.
Nr. 3: Gustave Garrigou (Fra), 140 ptn.
Aantal deelnemers: 131
Aantal renners in Parijs: 41
Winnaar ploegenklassement: Alcyon

1913
Tour nummer: 11
Aantal etappes: 15
Lengte: 5287 km
Tourwinnaar: Philippe Thys (Bel), 197u54'
Nr. 2: Gustave Garrigou (Fra), op 8'37"
Nr. 3: Marcel Buysse (Bel), op 30'55"
Aantal deelnemers: 140
Aantal renners in Parijs: 25
Winnaar ploegenklassement: Peugeot

1914
Tour nummer: 12
Aantal etappes: 15
Lengte: 5405 km
Tourwinnaar: Philippe Thys (Bel) 200u28'48"
Nr. 2: Henri Pélissier (Fra), op 1'40"
Nr. 3: Jean Alavoine (Fra), op 36'53"
Aantal deelnemers: 145
Aantal renners in Parijs: 54
Winnaar ploegenklassement: Peugeot

1919
Tour nummer: 13
Aantal etappes: 15
Lengte: 5560 km
Tourwinnaar: Firmin Lambot (Bel), 231u7'15"
Nr. 2: Jean Alavoine (Fra), op 1u32'54"
Nr. 3: Eugène Christophe (Fra), op 2u16'31"
Aantal deelnemers: 69
Aantal renners in Parijs: 11
Winnaar ploegenklassement: La Sportive

1920
Tour nummer: 14
Aantal etappes: 15
Lengte: 5483 km
Tourwinnaar: Philippe Thys (Bel), 228u36'13"
Nr. 2: Hector Heusghem (Bel), op 57'21"
Nr. 3: Firmin Lambot (Bel), op 1u39'55"
Aantal deelnemers: 113
Aantal renners in Parijs: 22
Winnaar ploegenklassement: La Sportive

1921
Tour nummer: 15
Aantal etappes: 15
Lengte: 5485 km
Tourwinnaar: Léon Scieur (Bel), 221u50'26"
Nr. 2: Hector Heusghem (Bel), op 18'36"
Nr. 3: Honoré Bartélémy (Fra), op 2u1'
Aantal deelnemers: 123
Aantal renners in Parijs: 38
Winnaar ploegenklassement: La Sportive

1922
Tour nummer: 16
Aantal etappes: 15
Lengte: 5375 km
Tourwinnaar: Firmin Lambot (Bel), 222u8'6"
Nr. 2: Jean Alavoine (Fra), op 41'15"
Nr. 3: Félix Sellier (Bel), op 43'2"
Aantal deelnemers: 120
Aantal renners in Parijs: 38
Winnaar ploegenklassement: Peugeot

1923
Tour nummer: 17
Aantal etappes: 15
Lengte: 5368 km
Tourwinnaar: Henri Pelissier (Fra), 222u15'30"
Nr. 2: Ottavio Bottecchia (Ita), op 30'41"
Nr. 3: Romain Bellenger (Fra), op 1u4'43"
Aantal deelnemers: 139
Aantal renners in Parijs: 48
Winnaar ploegenklassement: Auto-Moto

1924
Tour nummer: 18
Aantal etappes: 15
Lengte: 5428 km
Tourwinnaar: Ottavio Bottecchia (Ita), 226u18'21"
Nr. 2: Nicolas Frantz (Lux), op 35'36"
Nr. 3: Lucien Buysse (Bel), op 1u32'13"
Aantal deelnemers: 157
Aantal renners in Parijs: 60
Winnaar ploegenklassement: Auto-Moto

1925
Tour nummer: 19
Aantal etappes: 18
Lengte: 5430 km
Tourwinnaar: Ottavio Bottecchia (Ita), 219u10'18"
Nr. 2: Lucien Buysse (Bel), op 54'20"
Nr. 3: Bartolomeo Aymo (Ita), op 56'17"
Aantal deelnemers: 130
Aantal renners in Parijs: 49
Winnaar ploegenklassement: Auto-Moto

1926
Tour nummer: 20
Aantal etappes: 17
Lengte: 5795 km
Tourwinnaar: Lucien Buysse (Bel), 248u44'25"
Nr. 2: Nicolas Frantz (Lux), op 1u22'25"
Nr. 3: Bartolomeo Aymo (Ita), op 1u23'51"
Aantal deelnemers: 126
Aantal renners in Parijs: 41
Winnaar ploegenklassement: Auto-Moto

1927
Tour nummer: 21
Aantal etappes: 24
Lengte: 5398 km
Tourwinnaar: Nicolas Frantz (Lux), 198u16'42"
Nr. 2: Maurice Dewaele (Bel), op 1u48'21"
Nr. 3: Julien Vervaecke (Bel), op 2u25'6"
Aantal deelnemers: 142
Aantal renners in Parijs: 39
Winnaar ploegenklassement: Thomann

1928
Tour nummer: 22
Aantal etappes: 22
Lengte: 5376 km
Tourwinnaar: Nicolas Frantz (Lux), 192u48'58"
Nr. 2: André Leducq (Fra), op 50'7"
Nr. 3: Maurice Dewaele (Bel), op 56'16"
Aantal deelnemers: 162
Aantal renners in Parijs: 41
Winnaar ploegenklassement: Alcyon

1929
Tour nummer: 23
Aantal etappes: 22
Lengte: 5286 km
Tourwinnaar: Maurice Dewaele (Bel), 186u39'16"
Nr. 2: Giuseppe Pancera (Ita), op 44'23"
Nr. 3: Jef Demuysere (Bel), op 57'10"
Aantal deelnemers: 155
Aantal renners in Parijs: 60
Winnaar ploegenklassement: Alcyon

1930
Tour nummer: 24
Aantal etappes: 21
Lengte: 4822 km
Tourwinnaar: André Leducq (Fra), 172u12'16"
Nr. 2: Learco Guerra (Ita), op 14'13"
Nr. 3: Antonin Magne, (Fra), op 16'13"
Aantal deelnemers: 100
Aantal renners in Parijs: 59
Winnaar ploegenklassement: Frankrijk

1931
Tour nummer: 25
Aantal etappes: 24
Lengte: 5095 km
Tourwinnaar: Antonin Magne (Fra), 177u10'3"
Nr. 2: Jef Demuysere (Bel), op 12'56"
Nr. 3: Antonio Pesenti (Ita), op 22'52"
Aantal deelnemers: 81
Aantal renners in Parijs: 35
Winnaar ploegenklassement: België

1932
Tour nummer: 26
Aantal etappes: 21
Lengte: 4479 km
Tourwinnaar: André Leducq (Fra), 154u11'49"
Nr. 2: Kurt Stoepel (Dui), op 24'1"
Nr. 3: Francesco Camusso (Ita), op 26'11"
Aantal deelnemers: 80
Aantal renners in Parijs: 57
Winnaar ploegenklassement: Italië

1933
Tour nummer: 27
Aantal etappes: 23
Lengte: 4407 km
Tourwinnaar: Georges Speicher (Fra), 147u51'37"
Nr. 2: Learco Guerra (Ita), op 1'1"
Nr. 3: Giuseppe Martano (Ita), op 5'1"
Aantal deelnemers: 80
Aantal renners in Parijs: 40
Winnaar ploegenklassement: Frankrijk

1934
Tour nummer: 28
Aantal etappes: 24
Lengte: 4371 km
Tourwinnaar: Antonin Magne (Fra), 147u13'58"
Nr. 2: Giuseppe Martano (Ita), op 27'31"
Nr. 3: Roger Lapébie (Fra), op 52'15"
Aantal deelnemers: 80
Aantal renners in Parijs: 39
Winnaar ploegenklassement: Frankrijk
Bergkoning: René Vietto

1935
Tour nummer: 29
Aantal etappes: 27
Lengte: 4339 km
Tourwinnaar: Romain Maes (Bel), 141u32'
Nr. 2: Ambrogio Morelli (Ita), op 17'52"
Nr. 3: Félicien Vervaecke (Bel), op 24'6"
Aantal deelnemers: 130
Aantal renners in Parijs: 46
Winnaar ploegenklassement: België
Bergkoning: Félicien Vervaecke

1936
Tour nummer: 30
Aantal etappes: 27
Lengte: 4437 km
Tourwinnaar: Sylvère Maes (Bel), 142u47'32"
Nr. 2: Antonin Magne (Fra), op 26'55"
Nr. 3: Félicien Vervaecke (Bel), op 27'53"
Aantal deelnemers: 130
Aantal renners in Parijs: 43
Winnaar ploegenklassement: België
Bergkoning: Julian Berrendero

1937
Tour nummer: 31
Aantal etappes: 31
Lengte: 4415 km
Tourwinnaar: Roger Lapébie (Fra), 138u58'31"
Nr. 2: Mario Vicini (Ita), op 7'17"
Nr. 3: Leo Amberg (Zwi), op 26'23"
Aantal deelnemers: 130
Aantal renners in Parijs: 46
Winnaar ploegenklassement: Frankrijk
Bergkoning: Félicien Vervaecke

1938
Tour nummer: 32
Aantal etappes: 29
Lengte: 4687 km
Tourwinnaar: Gino Bartali (Ita), 148u29'2"
Nr. 2: Félicien Vervaecke (Bel), op 18'27"
Nr. 3: Victor Cosson (Fra), op 29'26"
Aantal deelnemers: 96
Aantal renners in Parijs: 55
Winnaar ploegenklassement: België
Bergkoning: Gino Bartali

1939
Tour nummer: 33
Aantal etappes: 28
Lengte: 4224,5 km
Tourwinnaar: Sylvère Maes (Bel), 132u3'17"
Nr. 2: René Vietto (Fra), op 30'38"
Nr. 3: Lucien Vlaemynck (Bel), op 32'8"
Aantal deelnemers: 80
Aantal renners in Parijs: 49
Winnaar ploegenklassement: België
Bergkoning: Sylvère Maes

1947
Tour nummer: 34
Aantal etappes: 21
Lengte: 4655 km
Tourwinnaar: Jean Robic (Fra), 148u11'25"
Nr. 2: Edouard Fachleitner (Fra), op 3'58"
Nr. 3: Pierre Brambilla (Ita), op 10'7"
Aantal deelnemers: 99
Aantal renners in Parijs: 53
Winnaar ploegenklassement: Italië
Bergkoning: Pierre Brambilla

1948
Tour nummer: 35
Aantal etappes: 21
Lengte: 4922 km
Tourwinnaar: Gino Bartali (Ita), 147u10'36"
Nr. 2: Briek Schotte (Bel), op 26'16"
Nr. 3: Guy Lapébie (Fra), op 28'48"
Aantal deelnemers: 120
Aantal renners in Parijs: 44
Winnaar ploegenklassement: België
Bergkoning: Gino Bartali

1949
Tour nummer: 36
Tour winnaar: 36
Aantal etappes: 21
Lengte: 4813 km
Tourwinnaar: Fausto Coppi (Ita), 149u40'49"
Nr. 2: Gino Bartali (Ita), op 10'55"
Nr. 3: Jacques Marinelli (Fra), op 25'13"
Aantal deelnemers: 120
Aantal renners in Parijs: 55
Winnaar ploegenklassement: Italië
Bergkoning: Fausto Coppi

1950
Tour nummer: 37
Aantal etappes: 22
Lengte: 4773 km
Tourwinnaar: Ferdi Kübler (Zwi), 145u36'56"
Nr. 2: Stan Ockers (Bel), op 9'30"
Nr. 3: Louison Bobet (Fra), op 22'19"
Aantal deelnemers: 116
Aantal renners in Parijs: 51
Winnaar ploegenklassement: België
Bergkoning: Louison Bobet

1951
Tour nummer: 38
Aantal etappes: 24
Lengte: 4690 km
Tourwinnaar: Hugo Koblet (Zwi), 142u20'14"
Nr. 2: Raphaël Geminiani (Fra), op 22'
Nr. 3: Lucien Lazarides (Fra), op 24'16"
Aantal deelnemers: 123
Aantal renners in Parijs: 66
Winnaar ploegenklassement: Frankrijk
Bergkoning: Raphaël Geminiani

1952
Tour nummer: 39
Aantal etappes: 23
Lengte: 4798 km
Tour winnaar: Fausto Coppi (Ita), 151u57'20"
Nr. 2: Stan Ockers (Bel), op 28'27"
Nr. 3: Bernardo Ruiz (Spa), op 34'38"
Aantal deelnemers: 124
Aantal renners in Parijs: 78
Winnaar ploegenklassement: Italië
Bergkoning: Fausto Coppi

1953
Tour nummer: 40
Aantal etappes: 22
Lengte: 4478 km
Tourwinnaar: Louison Bobet (Fra), 129u23'25"
Nr. 2: Jean Mallejac (Fra), op 14'18"
Nr. 3: Giancarlo Astrua (Ita), op 15'1"
Aantal deelnemers: 119
Aantal renners in Parijs: 76
Winnaar ploegenklassement: Nederland
Groene Trui: Fritz Schaer (Zwi)
Bergkoning: Jesus Lorono

1954
Tour nummer: 41
Aantal etappes: 25
Lengte: 4906,4 km
Tourwinnaar: Louison Bobet (Fra), 140u6'5"
Nr. 2: Ferdi Kübler (Zwi), op 15'49"
Nr. 3: Fritz Schaer (Zwi), op 21'46"
Aantal deelnemers: 110
Aantal renners in Parijs: 69
Winnaar ploegenklassement: Zwitserland
Groene trui: Ferdi Kübler
Bergkoning: Fédérico Bahamontes

1955
Tour nummer: 42
Aantal etappes: 23
Lengte: 4494,5 km
Tourwinnaar: Louison Bobet (Fra), 130u29'26"
Nr. 2: Jean Brankart (Bel), op 4'53"
Nr. 3: Charly Gaul (Lux), op 11'30"
Aantal deelnemers: 130
Aantal renners in Parijs: 69
Winnaar ploegenklassement: Frankrijk
Groene trui: Stan Ockers
Bergkoning: Charly Gaul

1956
Tour nummer: 43
Aantal etappes: 23
Lengte: 4528 km
Tourwinnaar: Roger Walkowiak (Fra), 124u1'16"
Nr. 2: Gilbert Bauvin (Fra), op 1'25"
Nr. 3: Jan Adriaensens (Bel), op 3'44"
Aantal deelnemers: 120
Aantal renners in Parijs: 88
Winnaar ploegenklassement: België
Groene trui: Stan Ockers
Bergkoning: Charly Gaul

1957
Tour nummer: 44
Aantal etappes: 24
Lengte: 4687 km
Tourwinnaar: Jacques Anquetil (Fra), 135u44'42"
Nr. 2: Marcel Janssens (Bel), op 14'56"
Nr. 3: Adolf Christian (Oos), op 17'26"
Aantal deelnemers: 120
Aantal renners in Parijs: 56
Winnaar ploegenklassement: Frankrijk
Groene trui: Jean Forestier
Bergkoning: Gastone Nencini

1958
Tour nummer: 45
Aantal etappes: 24
Lengte: 4315,5 km
Tourwinnaar: Charly Gaul (Lux), 116u59'5"
Nr. 2: Vito Favero (Ita), op 3'10"
Nr. 3: Raphaël Geminiani (Fra), op 3'41"
Aantal deelnemers: 120
Aantal renners in Parijs: 78
Winnaar ploegenklassement: België
Groene trui: Jean Graczyk
Bergkoning: Fédérico Bahamontes

1959
Tour nummer: 46
Aantal etappes: 22
Lengte: 4391,5 km
Tourwinnaar: Fédérico Bahamontes (Spa), 123u46'45"
Nr. 2: Henri Anglade (Fra), op 4'1"
Nr. 3: Jacques Anquetil (Fra), op 5'5"
Aantal deelnemers: 120
Aantal renners in Parijs: 65
Winnaar ploegenklassement: België
Groene trui: André Darrigade
Bergkoning: Fédérico Bahamontes

1960
Tour nummer: 47
Aantal etappes: 22
Lengte: 4163,8 km
Tourwinnaar: Gastone Nencini (Ita), 112u8'42"
Nr. 2: Graziano Battistini (Ita), op 5'2"
Nr. 3: Jan Adriaensens (Bel), op 10'24"
Aantal deelnemers: 128
Aantal renners in Parijs: 81
Winnaar ploegenklassement: Frankrijk
Groene trui: Jean Graczyk
Bergkoning: Imerio Massignan

1961
Tour nummer: 48
Aantal etappes: 22
Lengte: 4397 km
Tourwinnaar: Jacques Anquetil (Fra), 122u1'33"
Nr. 2: Guido Carlesi (Ita), op 12'14"
Nr. 3: Charly Gaul (Lux), op 12'16"
Aantal deelnemers: 132
Aantal renners in Parijs: 72
Winnaar ploegenklassement: Frankrijk
Groene trui: André Darrigade
Bergkoning: Imerio Massignan

1962
Tour nummer: 49
Aantal etappes: 24
Lengte: 4272 km
Tourwinnaar: Jacques Anquetil (Fra), 114u31'54"
Nr. 2: Jef Planckaert (Bel), op 4'59"
Nr. 3: Raymond Poulidor (Fra), op 10'24"
Aantal deelnemers: 150
Aantal renners in Parijs: 94
Winnaar ploegenklassement: St. Raphael
Groene trui: Rudi Altig (Dui)
Bergkoning: Fédérico Bahamontes

1963
Tour nummer: 50
Aantal etappes: 23
Lengte: 4210,6 km
Tourwinnaar: Jacques Anquetil (Fra), 113u30'5"
Nr. 2: Fédérico Bahamontes (Spa), op 3'35"
Nr. 3: José Perez-Frances (Spa), op 10'14"
Aantal deelnemers: 130
Aantal renners in Parijs: 76
Winnaar ploegenklassement: St. Raphael
Groene trui: Rik van Looy
Bergkoning: Fédérico Bahamontes

1964
Tour nummer: 51
Aantal etappes: 25
Lengte: 4504,2 km
Tourwinnaar: Jacques Anquetil (Fra), 127u9'44"
Nr. 2: Raymond Poulidor (Fra), op 55"
Nr. 3: Fédérico Bahamontes (Spa), op 4'44"
Aantal deelnemers:132
Aantal renners in Parijs: 81
Winnaar ploegenklassement: Pelforth
Groene trui: Jan Janssen
Bergkoning: Fédérico Bahamontes

1965
Tour nummer: 52
Aantal etappes: 24
Lengte: 4187,9 km
Tourwinnaar: Felice Gimondi (Ita), 116u42'16"
Nr. 2: Raymond Poulidor (Fra), op 2'40"
Nr. 3: Gianni Motta (Ita), op 9'18"
Aantal deelnemers: 130
Aantal renners in Parijs: 96
Winnaar ploegenklassement: KAS
Groene trui: Jan Janssen
Bergkoning: Julio Jimenez

1966
Tour nummer: 53
Aantal etappes: 25
Lengte: 4322,6 km
Tourwinnaar: Lucien Aimar (Fra), 117u34'21"
Nr. 2: Jan Janssen (Ned), op 1'7"
Nr. 3: Raymond Poulidor (Fra), op 2'2"
Aantal deelnemers: 130
Aantal renners in Parijs: 81
Winnaar ploegenklassement: KAS
Groene trui: Willy Planckaert
Bergkoning: Julio Jimenez

1967
Tour nummer: 54
Aantal etappes: 25
Lengte: 4779,8 km
Tourwinnaar: Roger Pingeon (Fra), 136u53'50"
Nr. 2: Julio Jimenez (Spa), op 3'40"
Nr. 3: Franco Balmamion (Ita), op 7'23"
Aantal deelnemers: 130
Aantal renners in Parijs: 89
Winnaar ploegenklassement: Frankrijk
Groene trui: Jan Janssen
Bergkoning: Julio Jimenez

1968
Tour nummer: 55
Aantal etappes: 26
Lengte: 4684,1 km
Tourwinnaar: Jan Janssen (Ned), 133u49'42"
Nr. 2: Herman van Springel (Bel), op 38"
Nr. 3: Ferdinand Bracke (Bel),op 3'3"
Aantal deelnemers: 110
Aantal renners in Parijs: 63
Winnaar ploegenklassement: Spanje
Groene trui: Franco Bitossi
Bergkoning: Aurelio Gonzales

1969
Tour nummer: 56
Aantal etappes: 26
Lengte: 4117,1
Tourwinnaar: Eddy Merckx (Bel), 116u16'2"
Nr. 2: Roger Pingeon (Fra), op 17'54"
Nr. 3: Raymond Poulidor (Fra), op 22'13"
Aantal deelnemers: 130
Aantal renners in Parijs: 86
Winnaar ploegenklassement: Faema
Groene trui: Eddy Merckx
Bergkoning: Eddy Merckx

1970
Tour nummer: 57
Aantal etappes: 29
Lengte: 4366,8 km
Tourwinnaar: Eddy Merckx (Bel), 119u31'49"
Nr. 2: Joop Zoetemelk (Ned), op 12'41"
Nr. 3: Gösta Pettersson (Zwe), op 14'54"
Aantal deelnemers: 150
Aantal renners in Parijs: 100
Winnaar ploegenklassement: Salvarani
Groene trui: Walter Godefroot
Bergkoning: Eddy Merckx

1971
Tour nummer: 58
Aantal etappes: 25
Lengte: 3584,2 km
Tourwinnaar: Eddy Merckx (Bel), 96u45'14"
Nr. 2: Joop Zoetemelk (Ned), op 9'51"
Nr. 3: Lucien van Impe (Bel), op 11'06"
Aantal deelnemers: 130
Aantal renners in Parijs: 94
Winnaar ploegenklassement: BIC
Groene trui: Eddy Merckx
Bergkoning: Lucien van Impe

1972
Tour nummer: 59
Aantal etappes: 25
Lengte: 3846,6
Tourwinnaar: Eddy Merckx (Bel), 108u17'18"
Nr. 2: Felice Gimondi (Ita), op 10'41"
Nr. 3: Raymond Poulidor (Fra), op 11'34"
Aantal deelnemers: 132
Aantal renners in Parijs: 88
Winnaar ploegenklassement: GAN-Mercier
Groene trui: Eddy Merckx
Bergkoning: Lucien van Impe

1973
Tour nummer: 60
Aantal etappes: 27
Lengte: 4150,2 km
Tourwinnaar: Luis Ocana (Spa), 122u25'34"
Nr. 2: Bernard Thevenet (Fra), op 15'51"
Nr. 3: José-Manuel Fuente (Spa), op 17'15"
Aantal deelnemers: 132
Aantal renners in Parijs: 87
Winnaar ploegenklassement: BIC
Groene trui: Herman van Springel
Bergkoning: Pedro Torres

1974
Tour nummer: 61
Aantal etappes: 27
Lengte: 4107,2 km
Tourwinnaar: Eddy Merckx (Bel), 116u16'58"
Nr. 2: Raymond Poulidor (Fra), op 8'4"
Nr. 3: Vicente Lopez-Carril (Spa), op 8'9"
Aantal deelnemers: 130
Aantal renners in Parijs: 105
Winnaar ploegenklassement: KAS
Groene trui: Patrick Sercu
Bergkoning: Domingo Perurena

1975
Tour nummer: 62
Aantal etappes: 25
Lengte: 3999,1 km
Tourwinnaar: Bernard Thevenet (Fra), 114u35'31"
Nr. 2: Eddy Merckx (Bel), op 2'47"
Nr. 3: Lucien van Impe (Bel), op 5'1"
Aantal deelnemers: 140
Aantal renners in Parijs: 86
Winnaar ploegenklassement: GAN
Groene trui: Rik van Linden
Bergkoning: Lucien van Impe
Beste jongere: Francesco Moser

1976
Tour nummer: 63
Aantal etappes: 27
Lengte: 4016,5 km
Tourwinnaar: Lucien van Impe (Bel), 116u22'23"
Nr. 2: Joop Zoetemelk (Ned), op 4'14"
Nr. 3: Raymond Poulidor (Fra), op 12'18"
Aantal deelnemers: 130
Aantal renners in Parijs: 87
Winnaar ploegenklassement: KAS
Groene trui: Freddy Maertens
Bergkoning: Giancarlo Bellini
Beste jongere: Mariano Martinez

1977
Tour nummer: 64
Aantal etappes: 28
Lengte: 4098,6 km
Tourwinnaar: Bernard Thevenet (Fra), 115u38'30"
Nr. 2: Hennie Kuiper (Ned), op 48"
Nr. 3: Lucien van Impe (Bel), op 3'32"
Aantal deelnemers: 100
Aantal renners in Parijs: 53
Winnaar ploegenklassement: Raleigh
Groene trui: Jacques Esclassan
Bergkoning: Lucien van Impe
Beste jongere: Dietrich Thurau

1978
Tour nummer: 65
Aantal etappes: 24
Lengte: 3919,5 km
Tourwinnaar: Bernard Hinault (Fra), 108u18'
Nr. 2: Joop Zoetemelk (Ned), op 3'56"
Nr. 3: Joaquim Agostinho (Por), op 6'54"
Aantal deelnemers: 110
Aantal renners in Parijs: 78
Winnaar ploegenklassement: MIKO-Mercier
Groene trui: Freddy Maertens
Bergkoning: Mariano Martinez
Beste jongere: Henk Lubberding

1979
Tour nummer: 66
Aantal etappes: 25
Lengte: 3720,3 km
Tourwinnaar: Bernard Hinault (Fra), 103u6'50"
Nr. 2: Joop Zoetemelk (Ned), op 13'37"
Nr. 3: Joaquim Agostinho (Por), op 26'53"
Aantal deelnemers: 150
Aantal renners in Parijs: 90
Winnaar ploegenklassement: Renault
Groene trui: Bernard Hinault
Bergkoning: Giovanni Battaglin
Beste jongere: Jean-René Bernardeau

1980
Tour nummer: 67
Aantal etappes: 25
Lengte: 3847,4 km
Tourwinnaar: Joop Zoetemelk (Ned), 109u19'14"
Nr. 2: Hennie Kuiper (Ned), op 6'55"
Nr. 3: Raymond Martin (Fra), op 7'56"
Aantal deelnemers: 130
Aantal renners in Parijs: 85
Winnaar ploegenklassement: MIKO-Mercier
Groene trui: Rudy Pevenage
Bergkoning: Raymond Martin
Beste jongere: Johan van der Velde

1981
Tour nummer: 68
Aantal etappes: 25
Lengte: 3759,1 km
Tourwinnaar: Bernard Hinault (Fra), 96u19'38"
Nr. 2: Lucien van Impe (Bel), op 14'34"
Nr. 3: Robert Alban (Fra), op 17'4"
Aantal deelnemers: 150
Aantal renners in Parijs: 121
Winnaar ploegenklassement: Peugeot
Groene trui: Freddy Maertens
Bergkoning: Lucien van Impe
Beste jongere: Peter Winnen

1982
Tour nummer: 69
Aantal etappes: 22
Lengte: 3512 km
Tourwinnaar: Bernard Hinault (Fra), 92u8'46"
Nr. 2: Joop Zoetemelk (Ned), op 6'21"
Nr. 3: Johan van der Velde (Ned), op 8'59"
Aantal deelnemers: 169
Aantal renners in Parijs: 125
Winnaar ploegenklassement: Coop-Mercier
Groene trui: Sean Kelly
Bergkoning: Bernard Vallet
Beste jongere: Phil Anderson

1983
Tour nummer: 70
Aantal etappes: 23
Lengte: 3860,1 km
Tourwinnaar: Laurent Fignon (Fra), 105u7'52"
Nr. 2: Angel Arroyo (Spa), op 4'4"
Nr. 3: Peter Winnen (Ned), op 4'9"
Aantal deelnemers: 140
Aantal renners in Parijs: 88
Winnaar ploegenklassement: Raleigh
Groene trui: Sean Kelly
Bergkoning: Lucien van Impe
Beste jongere: Laurent Fignon

1984
Tour nummer: 71
Aantal etappes: 24
Lengte: 4020,9 km
Tourwinnaar: Laurent Fignon (Fra), 112u03'40"
Nr. 2: Bernard Hinault (Fra), op 10'32"
Nr. 3: Greg LeMond (USA), op 11'46"
Aantal deelnemers: 170
Aantal renners in Parijs: 124
Winnaar ploegenklassement: Renault
Groene trui: Frank Hoste
Bergkoning: Robert Millar
Beste jongere: Greg LeMond

1985
Tour nummer: 72
Aantal etappes: 24
Lengte: 4107,3 km
Tourwinnaar: Bernard Hinault (Fra), 113u24'23"
Nr. 2: Greg LeMond (USA), op 1'42"
Nr. 3: Stephen Roche (Ier), op 4'29"
Aantal deelnemers: 180
Aantal renners in Parijs: 144
Winnaar ploegenklassement: La Vie Claire
Groene trui: Sean Kelly
Bergkoning: Luis Herrera
Beste jongere: Fabio Parra

1986
Tour nummer: 73
Aantal etappes: 24
Lengte: 4094 km
Tourwinnaar: Greg LeMond (USA), 110u35'19"
Nr. 2: Bernard Hinault (Fra), op 3'10"
Nr. 3: Urs Zimmermann (Zwi), op 10'54"
Aantal deelnemers: 210
Aantal renners in Parijs: 132
Winnaar ploegenklassement: La Vie Claire
Groene trui: Eric Vanderaerden
Bergkoning: Bernard Hinault
Beste jongere: Andrew Hampsten

1987
Tour nummer: 74
Aantal etappes: 26
Lengte: 4231 km
Tourwinnaar: Stephen Roche (Ier), 115u27'42"
Nr. 2: Pedro Delgado (Spa), op 40"
Nr. 3: Jean-François Bernard (Fra), op 2'13"
Aantal deelnemers: 207
Aantal renners in Parijs: 135
Winnaar ploegenklassement: Systeme U
Groene trui: Jean-Paul van Poppel
Bergkoning: Luis Herrera
Beste jongere: Raul Alcala

1988
Tour nummer: 75
Aantal etappes: 23
Lengte: 3281,5 km
Tourwinnaar: Pedro Delgado (Spa), 84u27'53"
Nr. 2: Steven Rooks (Ned), op 7'13"
Nr. 3: Fabio Parra (Col), op 9'58"
Aantal deelnemers: 198
Aantal renners in Parijs: 151
Winnaar ploegenklassement: PDM
Groene trui: Eddy Planckaert
Bergkoning: Steven Rooks
Beste jongere: Erik Breukink

1989
Tour nummer: 76
Aantal etappes: 23
Lengte: 3285,3 km
Tourwinnaar: Greg LeMond (USA), 87u38'35"
Nr. 2: Laurent Fignon (Fra), op 8"
Nr. 3: Pedro Delgado (Spa), op 3'34"
Aantal deelnemers: 198
Aantal renners in Parijs: 138
Winnaar ploegenklassement: PDM
Groene trui: Sean Kelly
Bergkoning: Gert-Jan Theunisse
Beste jongere: Fabrice Philipot

1990
Tour nummer: 77
Aantal etappes: 22
Lengte: 3448, 8 km
Tourwinnaar: Greg LeMond (USA), 90u43'20"
Nr. 2: Claudio Chiappucci (Ita), op 2'16"
Nr. 3: Erik Breukink (Ned), op 2'29"
Aantal deelnemers: 198
Aantal renners in Parijs: 156
Winnaar ploegenklassement: Z
Groene trui: Olaf Ludwig
Bergkoning: Thierry Claveyrolat
Beste jongere: Gilles Delion

1991
Tour nummer: 78
Aantal etappes: 23
Lengte: 3914,4 km
Tourwinnaar: Miguel Indurain (Spa), 101u01'20"
Nr. 2: Gianni Bugno (Ita), op 3'36"
Nr. 3: Claudio Chiappucci (Ita), op 5'56"
Aantal deelnemers: 198
Aantal renners in Parijs: 158
Winnaar ploegenklassement: Banesto
Groene trui: Djamolidine Abdoesjaparov
Bergkoning: Claudio Chiappucci
Beste jongere: Alvaro Mejia

1992
Tour nummer: 79
Aantal etappes: 22
Lengte: 3983 km
Tourwinnaar: Miguel Indurain (Spa), 100u49'30"
Nr. 2: Claudio Chiappucci (Ita), op 4'35"
Nr. 3: Gianni Bugno (Ita), op 10'49"
Aantal deelnemers: 198
Aantal renners in Parijs: 130
Winnaar ploegenklassement: Carrera
Groene trui: Laurent Jalabert
Bergkoning: Claudio Chiappucci
Beste jongere: Eddy Bouwmans

1993
Tour nummer: 80
Aantal etappes: 21
Lengte: 3714,3 km
Tourwinnaar: Miguel Indurain (Spa), 95u57'09"
Nr. 2: Tony Rominger (Zwi), op 4'59"
Nr. 3: Zenon Jaskula (Pol), op 5'48"
Aantal deelnemers: 180
Aantal renners in Parijs: 136
Winnaar ploegenklassement: Carrera
Groene trui: Laurent Jalabert
Bergkoning: Djamolidine Abdoesjaparov
Beste Jongere: Antonio Martin

1994
Tour nummer: 81
Aantal etappes: 22
Lengte: 3915, 2 km
Tourwinnaar: Miguel Indurain (Spa), 103u38'38"
Nr. 2: Piotr Oegroemov (Let), op 5'39"
Nr. 3: Marco Pantani (Ita), op 7'19"
Aantal deelnemers: 189
Aantal renners in Parijs: 117
Winnaar ploegenklassement: Festina
Groene trui: Djamolidine Abdoesjaparov
Bergkoning: Richard Virenque
Beste jongere: Marco Pantani

1995
Tour nummer: 82
Aantal etappes: 21
Lengte: 3635 km
Tourwinnaar: Miguel Indurain (Spa), 92u44'59"
Nr. 2: Alex Zülle (Zwi), op 4'35"
Nr. 3: Bjarne Riis (Den), op 6'47"
Aantal deelnemers: 189
Aantal renners in Parijs: 115
Winnaar ploegenklassement: ONCE
Groene trui: Laurent Jalabert
Bergkoning: Richard Virenque
Beste jongere: Marco Pantani

1996
Tour nummer: 83
Aantal etappes: 22
Lengte: 3764,9 km
Tourwinnaar: Bjarne Riis (Den), 95u57'16"
Nr. 2: Jan Ullrich (Dui), op 1'41"
Nr. 3: Richard Virenque (Fra), op 4'37"
Aantal deelnemers: 197
Aantal renners in Parijs: 129
Winnaar ploegenklassement: Festina
Groene trui: Erik Zabel
Bergkoning: Richard Virenque
Beste jongere: Jan Ullrich

1997
Tour nummer: 84
Aantal etappes: 22
Lengte: 3943,8 km
Tourwinnaar: Jan Ullrich (Dui), 100u30'35"
Nr. 2: Richard Virenque (Fra), op 9'09"
Nr. 3: Marco Pantani (Ita), op 14'03"
Aantal deelnemers: 198
Aantal renners in Parijs: 139
Winnaar ploegenklassement: Telekom
Groene trui: Erik Zabel
Bergkoning: Richard Virenque
Beste jongere: Jan Ullrich

1998
Tour nummer: 85
Aantal etappes: 22
Lengte: 3711,6 km
Tourwinnaar: Marco Pantani (Ita), 92u49'46"
Nr. 2: Jan Ullrich (Dui), op 3'21"
Nr. 3: Bobby Julich (USA), op 4'08"
Aantal deelnemers: 189
Aantal renners in Parijs: 96
Winnaar ploegenklassement: Cofidis
Groene trui: Erik Zabel
Bergkoning: Christophe Rinero
Beste jongere: Jan Ullrich

1999
Tour nummer: 86
Aantal etappes: 21
Lengte: 3686,8 km
Tourwinnaar: Lance Armstrong (USA), 91u32'16"
Nr. 2: Alex Zülle (Zwi), op 7'37"
Nr. 3: Fernando Escartin (Spa), op 10'26"
Aantal deelnemers: 180
Aantal renners in Parijs: 141
Winnaar ploegenklassement: Banesto
Groene trui: Erik Zabel
Bergkoning: Richard Virenque
Beste jongere: Benoit Salmon

2000
Tour nummer: 87
Aantal etappes: 21
Lengte: 3662,5 km
Tourwinnaar: Lance Armstrong (USA), 92u33'8"
Nr. 2: Jan Ullrich (Dui), op 6'02"
Nr. 3: Joseba Beloki (Spa), op 10'04"
Aantal deelnemers: 180[1]
Aantal renners in Parijs: 127[2]
Winnaar ploegenklassement: Kelme
Groene trui: Erik Zabel
Bergkoning: Santiago Botero
Beste jongere: Francisco Mancebo

[1] Twee renners kregen een startverbod wegens een te hoge hematocrietwaarde: Sergei Ivanov (Rus) en Rossano Brasi (Ita).

[2] Jeroen Blijlevens finishte als 124ste in Parijs, maar werd uit het klassement verwijderd wegens een vechtpartij met de Amerikaan Bobby Julich.